Avec tout mon amour au Chef,
comme toujours.

Emmy Curtis

Sous l'uniforme

Alpha Ops – 1

Traduit de l'anglais (États-Unis) par Élodie Coello

Milady Romance

Milady est un label des éditions Bragelonne

Titre original : *Over The Line*

ISBN : 978-2-8112-1599-6

Bragelonne – Milady
60-62, rue d'Hauteville – 75010 Paris

E-mail : info@milady.fr
Site Internet : www.milady.fr

Emmy Curtis est éditrice et auteure de romans d'amour. Ressortissante britannique, elle soigne son mal du pays à coup de Cadbury Flake et de tourte à la viande Fray Bentos. Après avoir vécu à Londres, Paris et New York, elle s'est installée en Caroline du Nord. Lorsqu'elle n'écrit pas, Emmy adore voyager en compagnie de son mari militaire ou faire de longues promenades avec leur labrador.

Du même auteur, chez Milady :

Alpha Ops :
1. *Sous l'uniforme*
2. *Fouille au corps*

CE LIVRE EST ÉGALEMENT DISPONIBLE
AU FORMAT NUMÉRIQUE

www.milady.fr

Remerciements

Encore une fois, je dédie ce roman à mon mari. Son soutien infaillible me donne la chance de réaliser mon rêve : devenir écrivain. Mes héros ont tous un peu de lui en eux, mais il est le seul à les reconnaître.

Je remercie Heather de m'avoir accordé des plages de respiration au travail. Merci à Tahra et Mary dont la motivation sans limite les mène jusqu'à passer des nuits blanches à me lire.

Merci Leah, qui n'a jamais peur de mes e-mails où je lui demande de me rappeler les dates de mes échéances. Merci à toute l'équipe de Forever Yours pour ces magnifiques couvertures.

Enfin, à la jolie petite Emmy à qui je dois mon nom (et à sa maman) : merci.

Si les aventures de l'adjudant James Walker vous ont plu et si vous souhaitez soutenir la force aérienne américaine et l'appui aérien rapproché, renseignez-vous sur les actions associatives menées par la TACP en faveur des familles des héros disparus.

« Seul se dressera le plus fort,
et le faible s'écroulera au bord du chemin. »

Devise de la Tactical Air Control Party

Chapitre premier

Afghanistan, dans la province de Khost

— Enfin seuls, chuchota Walker.

Il s'accroupit près de Beth tandis que les balles fusaient dans la vallée, soulevant la poussière au moment de ricocher sur le sol.

— Vous êtes incapable d'obéir aux ordres ? siffla-t-elle en le regardant s'allonger à couvert.

Sourd à ses reproches, Walker chercha la provenance des tirs. S'il parvenait à neutraliser la menace, il pourrait remettre Beth sur pied et la ramener en lieu sûr. Son sang n'avait fait qu'un tour en captant son appel radio. Après avoir lancé un SOS pour sa blessure, elle était restée à plat ventre afin de couvrir ses hommes en tirant sur l'ennemi. Quelle femme ! Si elles étaient toutes aussi efficaces que Beth, Walker était prêt à se battre aux côtés d'un bataillon exclusivement féminin !

Sous le clair de lune, une mare de sang pourpre scintillant sur le sable s'étendait à vue d'œil.

Merde.

Leur mission, pourtant simple sur papier – prendre le relais d'une autre patrouille –, avait totalement dérapé. Une autre balle fendit l'air. Cette fois, Walker identifia la bouche du canon trop bavard. Dès qu'il fut dans sa ligne de mire, il saisit son arme et tira dans la direction du rebelle.

Silence. C'était bon signe.

— Allez, Sergent, sur le dos. Je vais examiner cette jambe.

À contrecœur, Beth se retourna en poussant un gémissement de douleur.

En voyant le treillis imbibé, Walker sentit son cœur se serrer. Elle avait perdu beaucoup de sang. *Et merde!* La balle avait pu toucher une artère. Il déchira la jambe de pantalon avec son couteau pour dévoiler la blessure. Elle partait à cinq centimètres sous l'aine et descendait sur sa cuisse. Le sang continuait d'affluer au rythme de sa respiration.

Hors de question de la laisser mourir là, dans cette vallée pourrie, ce trou perdu au milieu de nulle part. *Non, pas moyen!* Il défit la ceinture de Beth et ouvrit le treillis.

Comme il essayait de baisser le pantalon sur ses cuisses, il prit soin de ne pas frôler de parties susceptibles de le mener à la barre d'une cour martiale. L'un des Strike Eagle qu'il avait appelés en renfort siffla au-dessus de leur tête et Walker se jeta sur Beth en attendant que les bombes explosent non loin de là.

Elles tombèrent exactement où il fallait, évidemment, puisque Walker avait guidé l'attaque. C'était son travail. De toute l'unité, il était le seul détaché de l'armée de l'air. Il était en charge de la communication avec les forces aériennes en patrouille au-dessus de la zone de combat. Le seul à pouvoir indiquer précisément les coordonnées de leurs cibles. Dans le vacarme des détonations, la vallée s'éclaira d'une lueur orangée et une pluie de cailloux s'abattit sur eux à grand bruit.

Voilà qui devrait leur donner une bonne leçon, à ces talibans. Il allait se lever lorsqu'il remarqua qu'il avait le visage tout près de celui de son sergent. Il hésita une seconde. Une seconde de trop. Cela faisait deux mois qu'on l'avait rattaché à l'unité de Beth et, depuis, Walker n'avait pas passé une seule nuit sans penser à elle, tout en s'efforçant d'oublier ses fantasmes le jour.

Il déglutit et se remit au travail.

— Vous avez besoin d'un garrot, ce sera douloureux, préféra-t-il l'avertir en mettant la ceinture en place aussi haut qu'il le pouvait sur la cuisse. Imaginez un peu : pendant tout ce temps, j'ai rêvé de voir votre culotte, et maintenant…

Beth voulut répondre – pour l'incendier, sans doute – mais Walker profita de sa distraction et serra la ceinture d'un coup.

— Salaud ! s'exclama-t-elle en serrant les dents.

La blessure ne pompait plus le sang. *Ouf!* Walker remercia en silence l'âme bienveillante qui veillait sur eux quelque part à l'étage supérieur. Dans le nécessaire de premier secours qu'il sortit de son sac à dos, il trouva de la gaze et des bandages vert foncé. Un nouveau coup résonna et du sable jaillit sur ses bottes.

Putain!

Walker se jeta encore une fois à plat ventre et, cette fois, il se retrouva entre les jambes de Beth, le visage à quelques centimètres de sa blessure. Ce qui voulait dire qu'il était tout près de…

— Décidément, c'est pas commun, murmura-t-il.

Soulagé, il constata qu'il avait atteint son but: elle laissa échapper un rire.

— La prochaine fois… invitez-moi d'abord… au restaurant… OK? ironisa Beth, la respiration saccadée comme si elle allait accoucher.

Il rit à son tour.

— D'abord, je vous tire de là saine et sauve. Plus tard, promis, je vous inviterai à dîner.

En desserrant le garrot, il vérifia que le sang n'affluait plus. Il continuait de couler, mais moins abondamment. Walker resserra la ceinture, résolu à la laisser en place.

— Walker, grommela Beth. La lettre dans ma poche.

Ses grognements trahissaient sa lutte pour garder le contrôle malgré la douleur.

— Sortez-la avant qu'elle soit tachée de sang, reprit-elle. Qu'elle arrive jusqu'à ma sœur… si je ne m'en sors pas.

Pas de temps à perdre avec des mots rassurants. Walker enfouit la main dans la poche du pantalon et en sortit le carnet. Il déchira la première page qu'il fourra dans sa propre poche avant de remettre le reste dans le treillis de Beth.

— C'est bon, j'y veillerai. Mais je ferai tout pour que vous la rejoigniez en un seul morceau, d'accord ?

— Regardez !

Avec une grimace, elle se redressa sur un coude et pointa du doigt la vallée où les attendait leur camion. Un nuage de poussière se dirigeait lentement vers eux. Elle voulut se relever mais retomba à terre avec un grognement de douleur.

La tempête de sable eut raison des hésitations de Walker. Ils ne pouvaient pas rester là, Beth mourrait à coup sûr. S'ils ne bougeaient pas maintenant, la tempête les recouvrirait et les secours ne les retrouveraient pas tant que le sable ne serait pas retombé. Pas le temps de tergiverser.

La lune se recouvrit d'un voile nuageux et Walker se leva d'un bond.

— Mettez tout votre poids sur l'autre jambe.

Il lui tendit la main comme pour la saluer et la saisit par l'avant-bras afin de l'aider à se relever.

— Allez, Garcia, faut marcher, l'encouragea-t-il. C'est qu'une égratignure, ça va passer.

Riant et gémissant à la fois, Beth le vit plier les genoux. Il lui prit le bras et la plaça en travers de ses épaules tel un pompier. Pour seule protestation, elle s'agita légèrement.

— Lâchez-moi, je peux marcher, bon sang ! s'insurgea-t-elle, mais sa voix trahissait son état de faiblesse.

Tu peux marcher ? Ben voyons.

— Bien sûr, ma jolie… Hum, sergent. Mais là, il faut courir. Vous restez avec moi, oui ou non ?

— Je vous couvre, murmura-t-elle.

Walker jeta le sac par-dessus son épaule libre et prit la fuite. La tempête progressait lentement et il savait qu'il l'éviterait facilement s'il courait à toute vitesse, mais sa priorité, c'était d'emmener Beth en lieu sûr, où un hélicoptère pourrait atterrir pour la transporter à l'hôpital le plus proche.

La lune reparut derrière son nuage, et, sous la soudaine clarté, ils étaient tous deux des cibles faciles. Un coup fut tiré et Walker sentit la balle filer tout près de son visage. Beth sollicita tous les muscles de son corps et se redressa. Quel soldat. Quelle femme.

Tandis qu'il continuait de courir, elle tira trois coups en arrière avant de se laisser retomber sur lui.

— Je l'ai eu ! s'écria-t-elle.

Silence. Il n'entendit plus que sa propre respiration résonner à ses oreilles. Son pouls battait contre ses tempes.

Inspire, expire, courage, on y est presque.

Sous le poids de Beth, il sentit ses muscles flancher, sans compter les trente-cinq kilos de leur attirail. Mais il était entraîné, et, soyons honnêtes, il avait connu de pires rodéos. En fait, c'était son huitième. Ses jambes continuèrent de courir en direction de leur porte de sortie.

Enfin, il l'espérait.

Comme ils approchaient des derniers véhicules de leur patrouille, le « flap flap » familier des hélices coupa court à la fois à ses pensées et au vacarme incessant de balles. Cinq soldats à plat ventre mitraillaient les collines en face d'eux.

Walker s'arrêta pour déposer Beth au sol. Il se laissa tomber par terre à côté d'elle et demanda un rapport.

— Marks a été touché au visage. On l'a perdu. Il reste environ huit unités de chars à flanc de colline mais ils ne lâchent pas le morceau. Il y a très peu de tirs dans cette zone, l'hélico devrait pouvoir atterrir à droite de l'accès à la vallée.

Le soldat pointa du doigt l'unique piste d'atterrissage possible.

— Je vais nettoyer la zone, Beth. Je reviens tout de suite.

Il lui lança un regard qu'elle ne lui rendit pas. Les paupières closes et le souffle court, elle semblait au bord de l'évanouissement. Son cœur se serra.

Non!

Il resserra le garrot et entama un massage cardiaque.

— Hé, toi! cria-t-il à un soldat en lui tapant le casque. Continue le massage cardiaque pendant que je nettoie la zone d'atterrissage. Et garde le garrot bien serré!

Le soldat s'exécuta sans poser de question. Puis il prit conscience de l'identité de la victime.

— Merde, c'est Garcia? Oh non, ma femme va me tuer si je la laisse mourir!

— Et moi aussi, alors garde ça en tête. Je reviens tout de suite.

Toutefois, Walker hésita une seconde. Pouvait-il vraiment laisser Beth entre les mains de ce soldat? L'envie était forte de rester auprès d'elle pour insuffler lui-même l'air à ses poumons, mais il était le seul à pouvoir guider les secouristes aériens et libérer la zone comme il se devait.

Walker s'empara d'une radio et de la lampe torche d'un soldat et courut jusqu'à la zone d'atterrissage potentielle. Il parcourut le carré de terre et s'assura qu'il ne restait pas d'explosif oublié. Rien. Ce n'était pas surprenant, le convoi était passé par là à son arrivée dans la vallée. Les traces de pneu étaient encore visibles. Mieux valait prévenir que guérir. En parcourant le bout de terrain, il ne put chasser Beth de ses pensées. Son visage était si pâle sous le clair de lune, et son souffle si faible, si irrégulier. Ce n'était pas digne d'elle. Il la connaissait vive, susceptible, magnifique et forte en tous points.

Le bruit des pales s'intensifia et, une fois qu'il eut dégagé la zone de tout élément suspect, il saisit sa radio.

— Ici Playboy, commando aérien, vous me recevez ?

Quelques secondes de silence. Walker vérifia l'état de sa radio. Au bout d'un moment, il entendit :

— Commando aérien 1, je vous reçois Playboy. Comment ça se présente ?

— Cinq soldats debout, un mort au combat et un blessé grave. Pour l'atterrissage, je vous ai nettoyé la zone suivante.

Il dicta une série de chiffres.

— Vous pouvez éclairer ?

— Reçu.

Walker sortit des bâtons lumineux de sa poche et les disposa aux quatre coins de la zone. En d'autres circonstances, il aurait utilisé des fusées éclairantes, mais cela reviendrait à attirer les talibans tout droit sur les secouristes. Après s'être assuré que l'hélicoptère pouvait atterrir en toute sécurité, il courut rejoindre Beth. *Je vous en prie, faites qu'elle arrive à l'hôpital à temps.*

Le second hélico ouvrit le feu sur les collines afin de couvrir les hommes au sol. Deux officiers de combat secouristes arrivèrent en courant, arme à l'épaule. Un coup d'œil vers Beth leur suffit et ils se précipitèrent pour l'aider. Ils renforcèrent le garrot et lui posèrent un masque à oxygène.

Walker garda ses distances et les laissa porter son sergent à l'hélicoptère. Il sentit que son cœur reprenait un rythme normal mais sa boule au ventre persistait. En suivant les autres jusqu'à la zone de sécurité, il ne pensa qu'au teint pâle de Beth. Survivrait-elle jusqu'à ce fameux dîner qu'ils s'étaient promis ? Grimpant dans le Pave Hawk, il desserra les poings et s'aperçut que, inconsciemment, il croisait les doigts.

Chapitre 2

États-Unis. Fort Bragg,
hôpital militaire de Womack.

Neuf mois plus tard.

Le sergent Beth Garcia courait avec détermination. Elle s'imaginait voler au-dessus du Washington Monument, du Lincoln Memorial et de sa piscine aux célèbres reflets. Tous ces endroits qu'elle n'avait encore jamais visités. Ses fantasmes l'auraient facilement occupée des heures entières si le colonel, qui courait sur le tapis de course à côté d'elle, n'avait pas été en pleine conversation téléphonique. Quel est l'idiot qui a inventé le Bluetooth ?

Forcée de reprendre ses esprits, elle ne pouvait s'empêcher de passer la main sur sa blessure. Tandis qu'elle continuait de courir, elle sentit le tissu cicatriciel bouger sous ses doigts et se rappela cette fameuse nuit où la situation lui avait échappé en Afghanistan.

Sa jambe s'en remettait. Elle allait mieux depuis plusieurs mois déjà, mais les autorités imposaient huit mois de rééducation avant qu'elle puisse être déclarée apte à retourner sur le terrain. Or, seul un dernier déploiement lui permettrait de gravir les échelons jusqu'à atteindre son objectif ultime : devenir agent de protection à la CIA. Enfin, ce dernier déploiement n'était pas indispensable, mais Beth était consciente que cela lui donnerait un avantage considérable aux yeux du jury.

Vivre enfermée dans un bureau et rentrer chez elle tous les soirs pour retrouver son chien, ce n'était pas une vie pour elle. Elle ne se sentait bien que lorsque l'adrénaline lui montait au cerveau, des moments devenus rares cette année.

Elle se concentra sur sa jambe et sur les décharges réparatrices que son corps envoyait naturellement à la cicatrice. Les douleurs devenaient rares et minimes.

Où était donc passée sa kiné ? Plus tôt elle signerait ce maudit certificat médical et plus tôt Beth pourrait se déclarer candidate à un nouveau déploiement. Elle n'en pouvait plus de courir. L'odomètre de son tapis de course indiquait dix kilomètres. Beth balaya la pièce du regard à la recherche de celle qui avait enclenché sa machine. Elle ne pouvait pas la quitter sans la validation d'un médecin pour vérifier son état physique. Mais bon sang, où était passée cette femme ?

Des gouttes de sueur perlaient à son front et dans son cou. Elle aurait besoin d'une bonne douche avant de retourner à son unité. Au moment où la vie commençait à perdre son sens, la kiné apparut, appuya sur le bouton « stop » et lui tendit son certificat.

— Vous ne devriez pas tirer sur la corde, dit-elle.

C'est une blague ? Je me serais arrêtée à cinq kilomètres si vous n'étiez pas partie prendre un café ou torturer un autre patient ou je ne sais quoi !

— Oui, madame, répondit-elle docilement en prenant la feuille de papier d'un geste sec.

Lorsque son bourreau s'en retourna vers un autre patient, Beth s'avachit sur la rampe du tapis et chercha à reprendre son souffle. Elle étira le genou sans trop forcer sur sa blessure. Sa jambe resterait-elle toujours dans cet état, une sorte d'élastique trop tendu ?

Elle ferma les yeux et s'imagina l'oxygène courant sous sa peau et jusqu'aux muscles de sa jambe, ainsi que la kiné le lui avait appris.

Inspire, expire…

Incroyable, ce colonel était un véritable moulin à paroles, c'était insupportable ! Elle se redressa d'un coup, prête à lui lancer un regard noir de reproches – elle n'oserait jamais envoyer promener un colonel verbalement – quand elle aperçut l'homme en uniforme qui se tenait au garde-à-vous devant lui.

— Repos, Walker. Je suis dans une salle de sport. Je sue comme un cochon.

— Oui, mon colonel.

Beth n'en croyait pas ses yeux. Le regard de James se posa sur elle, derrière le colonel, et il eut un mouvement de surprise. Elle sourit. Qu'allait-il faire ? Elle déglutit. Décidément, ce type était une véritable friandise pour le regard. Il était aussi charmant que dans ses souvenirs : la stature imposante, les épaules carrées et cette attitude confiante qui avait secrètement fait rêver Beth pendant leurs quelques mois de mission ensemble.

— Excusez-moi, mon colonel, dit-il en gardant ses incroyables yeux bleus posés sur Beth.

Le colonel suivit son regard et haussa un sourcil avant de se retourner vers James. Elle décida de le sortir de cette mauvaise passe.

— Mon colonel, l'appela-t-elle. Cet homme a risqué sa vie pour me sauver après qu'on m'a tiré dessus en Afghanistan l'année dernière. Il doit être surpris de me retrouver ici.

Elle essuya ses mains en sueur sur son short de sport et en tendit une à James.

— On m'a dit que vous étiez venu me voir à l'hôpital. Je sais que je n'avais pas totalement repris mes esprits, c'est pourquoi, si je ne vous ai pas remercié à ce moment-là, je tiens à le faire aujourd'hui. Merci. Je vous dois une fière chandelle.

Il accepta la main qu'elle lui présentait, et, bien qu'elle soit recouverte de sueur, la serra plus longtemps qu'il n'est de coutume. Assez longtemps, en tout cas, pour laisser Beth le contempler à loisir. Aucun doute, ce type était aussi sexy que dans ses souvenirs. Les cheveux courts, les yeux clairs et un air à peine masqué d'admiration pour elle. L'année précédente, elle était convaincue qu'il regardait tout le monde de cette manière. Pourtant, dans ce cadre moins formel, elle se posa la question. Serait-ce possible qu'à cet instant précis ce regard lui soit exclusivement réservé ?

Je divague, ce doit être l'endorphine.

— C'est un plaisir, sergent. Je suis ravi de vous voir ici. Vous n'êtes pas rapatriée sanitaire ?

— Ah non, hors de question ! s'esclaffa-t-elle. Sa vie, c'était l'action. Que ferait-elle si elle reprenait une vie normale ? Le seul travail qu'elle accepterait, ce serait son poste fantasmé à la CIA.

Le colonel s'éclaircit la voix.

— Bien. Je suis heureux d'apprendre que vous vous remettez de votre blessure, Sergent, et que mon nouvel adjudant ici présent se trouvait au bon endroit au bon moment. Walker ? Pardonnez-moi de vous faire venir juste avant le week-end. Rentrez chez vous, soufflez un peu et rendez-vous à 7 heures lundi matin pour l'entraînement.

— Oui, mon colonel, répondit James avant de se retourner vers Beth. J'ai été vraiment ravi de vous revoir en si bonne forme.

Ils échangèrent une nouvelle poignée de main.

— Merci à vous, répéta Beth en espérant qu'il comprenne combien elle était sincère. Je vous dois beaucoup, Walker.

Il hocha la tête, sourit et tourna les talons. Elle regarda ses larges épaules quitter la salle de sport. Peut-être son regard s'attarda-t-il également sur son joli petit cul. Jetant sa serviette par-dessus son épaule et fourrant le papier dans sa poche, elle s'apprêta à dire au revoir au colonel mais il était déjà au téléphone.

Une douche. Une douche interminable et brûlante. Accompagnée, peut-être, de quelques pensées pour James.

C'était forcément le destin, une sorte de fatalité. Ce n'était pas autre chose. Bon sang, cette femme était toujours aussi canon. Le corps de Walker avait réagi de la même manière que l'année précédente en la voyant. Heureusement qu'elle venait de faire du sport : dès qu'il l'avait reconnue, ses mains s'étaient mises à suer. Charmant.

Cette fois, il ne laisserait pas passer sa chance : elle ne s'en irait pas tant qu'il ne l'aurait pas invitée à dîner. Après tout, elle prétendait lui être redevable – même si, très honnêtement, Walker estimait que c'était elle l'héroïne de l'histoire car elle l'avait également sauvé du tireur ennemi. Organiser un rendez-vous galant autour d'une dette, ce n'était pas un bon départ. Devant la porte des vestiaires des dames, il faisait les cent pas et ne cessait de tripoter son béret de contrôleur tactique aérien. Avait-il vraiment le cran de le faire ?

Il eut comme un pincement au cœur.

Il regarda sa montre. Dans moins de vingt-quatre heures, sa grande sœur se marierait sans lui. Beth serait une excellente alternative à cet insupportable sentiment de culpabilité qui l'avait tiraillé toute la journée. Pourtant, il était hors de question de se joindre à ce joyeux foutoir : des ex-petites copines, des cousins, les petits plats dans les grands. Ce côté de sa famille ne faisait plus partie de sa vie depuis plusieurs années déjà. Sans compter que chaque seconde passée avec ses parents représentait un frein potentiel à sa carrière. Son père était un homme d'influence et n'appréciait pas le choix de Walker, qui avait préféré s'enrôler dans les forces aériennes plutôt que de se faire une place au congrès.

Mieux valait instaurer de la distance. Il savait qu'il pouvait compter sur sa sœur pour le comprendre et le soutenir dans sa volonté d'indépendance. Si la noblesse de son ex-copine n'avait pas tant plu à ses parents, et si ces derniers n'étaient pas aussi obsédés par l'idée de lui faire quitter l'armée pour reprendre l'affaire familiale, ce serait un week-end comme les autres. Seulement voilà, entre le mariage de sa sœur, le mensonge qu'il avait inventé concernant des missions sans déploiement, et cette histoire de petite amie imaginaire… Une bombe à retardement l'attendait paisiblement dans la maison familiale. Si elle explosait pendant le mariage de sa sœur, celle-ci ne le lui pardonnerait jamais.

Beth Garcia avait été son fantasme inaccessible de l'année précédente, l'une des premières femmes à endosser un rôle important dans les forces spéciales. Elle s'en était superbement bien tirée. Avec son tempérament autoritaire, elle était reconnue comme intimidante pour les hommes sous ses ordres. Et heureusement, songea Walker, car une femme au milieu de tous ces hommes devait savoir se faire respecter. C'était un bourreau de travail, elle n'avait que le devoir et la rigueur en tête. Une qualité si sexy que c'en était fou. Elle *le* rendait fou.

En sortant du vestiaire, un paquet de feuilles entre les dents, Beth s'efforçait de tirer ses cheveux mouillés en queue-de-cheval réglementaire. Elle s'arrêta net en apercevant Walker. Sa bouche était occupée, mais il lut dans son regard qu'elle souriait tout en glissant une dernière épingle dans ses cheveux. Reprenant les feuilles à la main, elle lui lança :

— Re-bonjour, et félicitations pour votre promotion.

— Merci. On vient de coudre le galon à ma veste, j'ai emménagé hier.

— Excellent, fit Beth, puis elle désigna du menton la porte de sortie, il la suivit. Je suis ici depuis deux ans, j'imagine qu'il me reste encore un an à faire.

— Vous vous plaisez, ici ? demanda Walker, curieux de connaître son avis, lui qui n'avait toujours pas défait sa valise et ne connaissait rien de la Caroline du Nord.

— Oui, assez. Pour être honnête, j'ai passé l'année à essayer d'obtenir un nouveau déploiement. Je deviens folle à rester derrière un bureau. Mais...

Elle secoua les feuilles qu'elle avait tenues entre ses dents, des notes étaient griffonnées çà et là.

— Je les ai reçus hier ! Qui sait ? Vous m'avez peut-être porté bonheur.

— Et comment comptez-vous fêter l'événement ? demanda-t-il, dans l'espoir qu'elle réponde : « Je ne sais pas. »

— Pas grand-chose. Je n'y avais pas vraiment réfléchi.

Elle mit ses lunettes de soleil lorsqu'ils firent le tour du bâtiment pour rejoindre le parking. Un sentiment inexplicable agita Walker, son cœur battait de plus en plus vite. Il soupçonnait cette femme de ne donner qu'une chance à un homme : si le charme n'opérait pas tout de suite, le type était définitivement rayé de la liste.

— Puis-je vous inviter à dîner ce soir ? Ou peut-être demain ?

Elle laissa d'abord passer un silence. Fichues lunettes de soleil, il aurait aimé voir sa réaction dans son regard. Aurait-il dû présenter la chose autrement ? De façon plus naturelle, ou subtile ? Aurait-il dû la laisser faire un premier pas vers lui ? *Par pitié, faites que ça marche !*

— Pourquoi pas. L'armée a l'avantage de nous laisser de longs week-ends. On ne travaille pas vendredi, pourquoi pas demain soir ?

Walker chaussa ses lunettes d'aviateur, ce qui lui permit de masquer son soulagement.

— Bonne idée, ça me va.

Arrêtée devant une Mini Cooper, Beth appuya sur le bouton de sa petite télécommande. Elle ouvrit la portière, récupéra un bout de papier abandonné sur le siège passager et gribouilla dessus.

— Vous venez me chercher à 20 heures ?

Comme il tendait la main pour prendre l'adresse, son téléphone émit un bip. Il leva un doigt et lut le message. C'était Sadie.

Je crois que j'ai des doutes. Viens vite, j'ai besoin de toi. Si tu ne viens pas, j'enverrai un homme de main de papa te chercher par la peau des fesses. Armé si nécessaire !

Merde. Avec un peu de chance, sa sœur plaisantait au sujet de l'arme. Mais une chose était certaine, elle était effectivement capable de lui envoyer quelqu'un. Sadie l'avait déjà fait. Elle savait pourquoi il ne venait pas au mariage. Jusqu'à ce message, Walker croyait qu'elle l'avait compris et qu'elle s'en accommodait. Changement de programme.

— Vous êtes libre ce week-end ?

Son cerveau enclencha la cinquième vitesse. Il se souvint de bribes de conversation datant d'une patrouille qu'ils avaient faite ensemble dans un Humvee.

— On pourrait grimper, ajouta-t-il. Il paraît que le sentier des Appalaches se trouve au milieu de falaises magnifiques.

— Le week-end entier ? balbutia-t-elle, puis elle hésita une seconde et finit par sourire. D'accord.

Il lui prit l'adresse des mains, frôlant ses doigts au passage. Un frisson le parcourut, c'était un sentiment qu'il n'avait pas ressenti depuis... Mieux valait ne pas chercher à s'en souvenir.

— Dans ce cas, je viens vous récupérer à 8 heures demain matin ?

Elle le salua hors règlement militaire, monta en voiture et referma la portière. Une seconde après, la capote de la Mini s'ouvrait pour révéler un minuscule habitacle. Rien de surprenant.

— Attendez une minute, fit Beth. Grimper ? Est-ce que c'est une excuse pour me reluquer les fesses tout le week-end ? Parce que je vous devancerai d'une bonne longueur, c'est sûr.

Elle lui fit un clin d'œil, et quitta le parking en faisant crisser les pneus. Il ne restait plus qu'un grand sourire plaqué sur le visage de Walker. *Gagné !*

Chapitre 3

Beth recroquevilla les doigts sur le volant. Ils étaient moites. Elle souffla dessus et les secoua pour chasser l'impression d'engourdissement.

L'avait-il vraiment invitée à sortir ? Mince. Elle aurait dû rester et prendre le temps de discuter de certaines règles à respecter. À présent, elle était plongée dans le vague : James avait-il en tête un rendez-vous galant, le début d'une relation ou un simple week-end de grimpe en falaise ? C'était si bon de le revoir. *Si bon.*

Elle aurait dû répondre « merci, mais non merci ». Le revoir ainsi, après l'épisode du champ de bataille… Devant cette mâchoire carrée, ces yeux d'un bleu clair et intense, et ces cheveux noirs coupés court – mais plus longs que la coupe réglementaire – elle avait perdu les pédales et n'avait pas pris le temps de réfléchir à sa règle d'or : pas d'attache. En tout cas, pas de sentiments avant d'obtenir un poste qui la maintiendrait au même endroit pendant au moins un an sans déploiement. *James Walker*. Si elle n'avait pas été si occupée par sa performance professionnelle en Afghanistan, elle aurait fondu sur lui. Un homme si calme, taciturne, bâti comme un dieu grec… elle secoua encore ses mains. En un mot : sexy.

Oh non, qu'est-ce que j'ai fait ? Je n'aurai jamais la force de me retenir de lui sauter dessus !

Elle songea à faire demi-tour, direction le parking. Pour qui passerait-elle ? Hors de question. Elle frappa le tableau de bord avec son poing. Quelle galère d'être une femme ! On ne pouvait pas refuser à la fois les relations stables et les coups d'un soir sans passer pour quelqu'un de présomptueux. En revanche, si on attendait trop longtemps avant d'aborder le sujet, on passait pour une fille facile.

En y réfléchissant bien, ce n'était pas forcément un rendez-vous galant. Il lui avait sauvé la vie, peut-être cherchait-il seulement à vérifier qu'elle en faisait bon usage. Cela lui convenait parfaitement. Quant à l'escalade, c'était une activité saine qui, de toute manière, n'avait rien de sexy. Elle croisa les doigts.

Elle ne sortait jamais avec des hommes. Ses trois dernières tentatives avaient fini en catastrophe et elle avait finalement tiré un trait sur sa vie amoureuse, ce qui lui avait permis de se concentrer entièrement sur son travail et son choix de carrière. Une très bonne chose. Excellente, même. Elle ne pouvait pas se permettre de laisser paraître la moindre faiblesse devant son unité. Un homme pouvait aisément être dévasté par l'échec d'une relation, mais une femme ? Elle serait aussitôt cataloguée parmi les faibles. Ce n'était pas juste et elle refusait que quiconque la considère comme moins douée que ce qu'elle était vraiment. On ne devait d'ailleurs même pas l'imaginer dans une relation. Les garçons de son unité devaient la voir comme un soldat, point final.

Par-dessus tout, elle avait l'intime conviction que le domaine dans lequel elle évoluait ne se prêtait pas au contexte amoureux. Elle voyait bien les tromperies et autres ruptures qui découlaient bien souvent d'une trop longue séparation géographique au sein d'un couple, marié ou non.

Il était arrivé lors de plusieurs déploiements que des hommes de son unité apprennent l'infidélité de leur femme ou leur décision de divorcer alors que la mission requérait toute leur concentration. Elle avait vu leur réaction parfois violente. Certains même, au cœur de l'horreur de la guerre, en avaient perdu le goût de vivre.

Beth était persuadé que c'était précisément la raison qui avait ramené Marks chez lui les pieds devant. Il était l'unique soldat mort au combat lors de la dernière patrouille de Beth. En pleine mission, il avait appris que sa femme batifolait avec un voisin et la nouvelle l'avait dévasté. Avait-il l'esprit ailleurs, était-il devenu moins méticuleux ou pensait-il seulement que plus rien ne l'attendait chez lui ? Quoi qu'il en soit, Beth avait observé cela trop souvent. Elle avait parfois remplacé des soldats qui n'étaient pas assez concentrés sur leur mission pour être autorisés à quitter le camp. Avec Marks, elle aurait pu anticiper. Elle aurait dû le remplacer.

Secouant la tête, elle voulut penser à autre chose. Les séances avec son psychologue avaient servi à cela, à lui faire comprendre que ce n'était pas sa faute. Pourtant, elle ne pouvait s'empêcher d'éprouver ce sentiment de culpabilité dès qu'elle pensait à Marks.

En ramenant ses pensées sur James, elle se dit qu'elle avait toute la soirée pour réfléchir au meilleur moyen d'aborder le sujet avec lui. Les rendez-vous galants, c'était hors de question. En tout cas, si l'ambiance du week-end dépassait le seuil d'une séance platonique de grimpe en falaise, elle s'en apercevrait bien vite.

Une étrange boule se forma dans son estomac. Elle l'aimait bien. Non seulement James lui avait sauvé la vie, mais sa beauté méritait en plus qu'on se sacrifie pour lui. En conclusion : ce type était une machine à briser les cœurs. Une relation avec lui serait vouée à l'échec. Elle n'était pas du genre à prendre de tels risques. Elle ne mettrait rien en péril pour ce séduisant soldat de l'armée de l'air, ça non.

Dans un soupir, elle franchit la barrière de sécurité de la base. Elle ne s'était pas envoyée en l'air depuis si longtemps, songea-t-elle. Enfin, elle parlait bien sûr de sexe *avec* un partenaire. Sinon, elle n'avait pas besoin d'un homme pour jouer avec son cœur et sa… enfin, tout le reste. Sa vie tournait autour de son travail, de ses déploiements et de ses ambitions à la CIA.

Et si James ne la trouvait pas séduisante ? Pire encore, s'il était comme ces hommes qu'elle avait fréquentés il y avait de cela des années ?

Oui, ne pas être attirante à ses yeux lui faisait bien moins peur que de découvrir qu'il était comme ces autres qui réclamaient d'être fessés pour avoir été de « mauvais garçons ». Malheureusement, elle commençait à croire qu'elle les attirait. Dès qu'elle portait un uniforme, elle inspirait aussitôt le respect, d'où les attentes des trois derniers hommes qui s'étaient attendus à une sévère punition en dessert.

James ne cherchait sans doute qu'un peu de compagnie pour l'escalade. Rien de plus. En tout cas, elle l'espérait.

Elle se détendit dans son siège, ce qui lui fit prendre conscience de la tension que lui avait provoqué cette entrevue avec James. Après vingt minutes de route, elle s'engagea dans son allée et reconnut la voiture de sa sœur garée juste devant la porte de son garage. Impossible de passer. Du

Tammer tout craché : elle débarquait sans prévenir et repartait quand bon lui semblait, tout en prenant soin de garer sa voiture là où elle dérangerait le plus.

Beth se résigna à chercher la clé de sa porte d'entrée dans son sac, une clé qu'elle n'utilisait presque jamais.

— Tammer Garcia ! Bouge ta foutue voiture !

— Ouais. Ou plutôt, non. J'en suis à mon deuxième verre de vin, répondit une voix depuis la cuisine. Tu oserais me demander de prendre le volant ?

En jetant un rapide coup d'œil à sa montre, Beth haussa les épaules. Dix-huit heures. Bon, tant pis.

— Sers-moi un verre, commanda-t-elle en abandonnant son attirail militaire devant la porte de la buanderie. Qu'est-ce que tu fais là ?

— Je suis venue pour un marathon de série télé : plusieurs épisodes de *Supernatural* d'affilée, ça te tente ? Puisque tu ne travailles pas demain, je me suis dit qu'on pourrait boire du vin en la charmante compagnie de ces garçons de Winchester. Pour ce week-end, je t'apporte une alternative à ta solitude dans ton couvent en treillis. Plutôt sympa, non ?

— Mmh, fit Beth, sans grande conviction, puis elle but une gorgée de vin. Je ne serai pas là ce week-end. Je vais grimper dans les Appalaches.

Elle but une autre gorgée avant de croiser le regard de sa sœur.

Tammer marqua une pause.

— Toute seule ?

— Avec un ami, répondit-elle vaguement en regardant le courrier que sa sœur avait apporté.

Un rire aussi spontané que bestial s'échappa de la gorge de Tammer et s'arrêta aussitôt.

— Tu es sérieuse ? Tu as un ami ? Un ami avec qui tu pars en week-end ? Comment est-ce possible ? Tu n'aimes pas les gens.

Là, elle marquait un point. Pas sur le fait qu'elle n'aimait pas les gens. Elle aimait beaucoup de gens. Seulement, elle faisait toujours en sorte que ça ne se sache pas. Ainsi, on ne pouvait pas l'accuser de donner de faux espoirs à un jeune grimpeur.

— C'est compliqué, marmonna-t-elle en se laissant tomber dans le canapé.

Un fil dépassait d'un coussin et elle commença à le tripoter.

— *Dios mio !* soupira Tammer. Raconte-moi tout. Ce n'est pas n'importe quel ami, c'est ça ?

— C'est le contrôleur tactique aérien. Tu sais, celui qui m'a sauvé la vie l'année dernière. Le sergent Walker. Hum, James.

Tammer plaqua les mains sur son cœur.

— Je l'aime déjà ! Tu es consciente que je lui serai à jamais reconnaissante ?

Des larmes piquèrent le coin des yeux de Beth qui repensait pour la deuxième fois de la journée à ce fameux jour où elle avait failli tout perdre et laisser une petite sœur derrière elle. Elle hocha la tête.

— Oui, moi aussi.

Tammer s'éclaircit la voix.

— Quand est-ce que tu pars ?

Sans épargner ce pauvre fil de coussin, Beth répondit qu'il venait la chercher le lendemain matin.

— OK, on a donc la soirée devant nous pour regarder *Supernatural*. Et pour boire du vin, ajouta Tammer avant d'observer longuement le visage de sa sœur. Tu es sûre que ça te tente ? On peut regarder *Buffy contre les vampires*, si tu préfères.

— Ce n'est pas un rendez-vous galant ! s'exclama soudain Beth.

Changement de sujet, elle n'avait pas pu s'en empêcher.

Bravo, Beth. Tu as toutes tes chances pour entrer à la CIA.

— Tu veux reparler de ça, OK. Bien sûr que ce n'est pas un rendez-vous galant. Si c'en était un, il serait comme ces types louches que tu sembles attirer, pas vrai ? Or, je refuse que l'homme qui a sauvé la vie de ma sœur soit catalogué comme ces fous à lier.

— J'ai réussi mon test physique, aujourd'hui.

— Waouh ! Décidément, tu m'emportes sur le grand huit de la conversation. N'empêche, c'est une bonne nouvelle, dit Tammer en lui serrant doucement le bras avec un sourire. Tu ne veux pas me dire directement ce qui te tracasse ?

Non. Elle ne voulait pas admettre qu'elle appréciait James et qu'elle craignait d'aborder avec lui le sujet de leur non-implication sentimentale. S'il n'envisageait rien de romantique avec elle, il la prendrait pour une idiote. Beth poussa un grognement et cacha sa tête sous le coussin.

— Bon. Est-ce que ça fait partie des choses qu'un marathon de *Supernatual* ne peut pas guérir ?

Beth poussa un soupir et releva la tête.

— Non, *Supernatural* peut tout guérir.

Le lendemain matin, Walker laissa le moteur de son Audi ronfler devant les barrières de sécurité du quartier privé de Beth. Il ne savait pas à quoi s'attendre, mais certainement pas à ce country club à l'écart de la ville. Pourquoi était-il si angoissé ? Ce n'était pas son genre. Pas du tout.

Du début à la fin de leur mission afghane, il n'avait eu qu'une idée en tête : inviter Garcia à dîner dès qu'ils seraient de retour aux États-Unis. Mais ce rêve était resté catalogué parmi les rêves utopiques qu'il ne réaliserait jamais. Maintenant que ce fantasme se présentait à lui, il fallait que ça tombe le week-end où il devait débarrasser le plancher, et vite.

Il aurait dû l'inviter dans les règles de l'art. Bon sang, il ne savait même pas si elle était en couple. Pas un seul regard sur son annulaire pour voir si elle portait une alliance.

Quel idiot.

Ce qui est fait est fait, il ne lui restait plus qu'à profiter de son week-end en sa compagnie et à oublier Sadie et son fichu mariage. Dans quelle situation s'était-il encore fourré ! Il avait pris la décision de l'inviter en une fraction de seconde. Là encore, ça ne lui ressemblait pas. D'habitude, il planifiait, calculait, étudiait une situation sous tous ses angles. Il avait parlé sans réfléchir. Pourquoi ne pas lui demander son numéro et organiser avec elle leur première nuit de sexe torride, tant qu'il y était ?

L'escalade ? Joli, Walker.

Rien de tel que la grimpe : il était facile de séduire une personne en passant le week-end au bout de sa corde.

Il vérifia le numéro de la boîte aux lettres avant de s'engager dans l'allée. Sa Mini n'était pas là, mais il y avait une Camry flambant neuve. Son petit ami ? Il eut comme un pincement au cœur.

Il sortit de la voiture et sonna. À peine eut-il le temps de se retourner pour descendre d'une marche que la porte s'ouvrit à la volée et une boule d'énergie lui sauta dans les bras.

Qu'est-ce que… ?

Ce n'était pas Beth. C'était plutôt – il s'écarta et observa la chose qui s'était agrippée à son cou – une sorte de mini-Beth.

— Je vous aime ! Je vous aime ! Merci !

Beth apparut à son tour, une main sur la hanche et un petit sourire en coin. Elle pointa du doigt le nouvel appendice de Walker et déclara :

— Ne vous attendez pas à la même réaction de ma part. Je vous ai déjà remercié, c'est largement suffisant.

La boule d'énergie s'écarta enfin et souffla sur une mèche de cheveux qui couvrait son visage. Il devina qu'elle avait environ cinq ans de moins que Beth, mais la ressemblance était frappante.

— Merci d'avoir sauvé ma sœur ! Voilà, c'est tout ce que j'avais à dire. Je m'appelle Tammer, et je vous laisse. Au revoir.

Elle se dirigea vers sa voiture et, en ouvrant la portière arrière, émit un sifflement viril et surprenant venant d'une jeune femme aussi frêle. Un énorme chien déboula de la maison et sauta dans la Camry. Amusé, Walker regarda Tammer refermer bruyamment la portière et s'en aller en marche arrière dans l'allée, sa tête et celle de son chien sorties par la vitre.

— Quel accueil ! observa-t-il, en regrettant secrètement que ce ne soit pas Beth la belle créature à s'être jetée dans ses bras.

— Oui, ce n'est pas une sœur comme les autres. Elle aurait fêté ses vingt ans seule au monde si je n'avais pas… si vous n'aviez pas… enfin, vous savez.

Walker esquissa un sourire fier.

— Oui, je sais. D'ailleurs, nous avons six heures de route devant nous, ça vous laissera tout le temps de me dresser la liste de tout ce que vous m'offrirez pour me remercier et… Aïe !

En faisant la grimace, il se massa le bras à l'endroit où elle lui avait donné un coup de poing.

— N'abusez pas, chef.

— Ne m'appelez pas « chef ». « Mon adjudant », ça m'ira très bien.

Il lui décocha un sourire faussement orgueilleux. Quel délice de se trouver à un grade supérieur au sien. Levant les yeux au ciel, Beth fit mine d'avoir la nausée.

— Rendez-vous utile, chargez mon sac pendant que je ferme la maison.

— Oui, m'dame.

Il était heureux de voir qu'elle n'avait pas changé : elle était toujours aussi piquante.

Mince. Walker rassembla toute sa volonté pour repousser le désir de la prendre dans ses bras.

S'adoucirait-elle s'il l'embrassait ? Pour penser à autre chose, il se chargea du sac.

Beth portait un collant d'escalade qui s'arrêtait au mollet avec une jupette par-dessus. Son débardeur de sport moulant ne l'aiderait pas à se changer les idées, observa-t-il. Elle avait noué ses cheveux en une natte qui courait tout autour de sa tête. Walker avait tellement envie de la toucher que c'en était douloureux. Six heures de trajet tout près d'elle ! Ce n'était pas la meilleure idée qui soit.

Tout en allumant le moteur, il se persuada : *Ne gâche pas tout*. Mais après tout, que pouvait-il se passer de mauvais ?

— C'est un joli quartier, constata-t-il tandis qu'ils traversaient le pâté de maisons. Et si près de la base, c'est incroyable.

D'habitude, on ne trouvait que des logements sociaux et des centres commerciaux à moins de trente kilomètres de là. Beth s'était trouvé un petit coin de paradis.

— C'est ce qui m'a plu, ici. J'ai eu un coup de foudre. S'il y a une chose que je déteste, c'est bien de vivre au milieu d'une base. Mon intimité ne regarde que moi.

— Oui, à qui le dites-vous. Pour l'instant, je suis dans un logement de fonction juste à côté du commissariat.

— Aïe, ce doit être pénible, acquiesça-t-elle, puis elle leva une jambe pour remettre son collant en place. De ce côté de la base, c'est beaucoup plus calme. L'inconvénient, c'est qu'il n'y a rien à faire ici le soir. À part quelques restaurants en ville, il n'y a pas d'adresse où simplement boire un verre. Mais la maison en vaut la peine.

Walker ne répondit rien. Il était trop tôt pour parler de son intérêt pour le quartier où habitait Beth. Beaucoup trop tôt.

— En tout cas, je vais bientôt devoir me trouver un endroit où vivre. Les logements de fonction vont finir par me rendre fou. (Il lança un bref regard en direction de la jeune femme avant de reprendre.) Surtout maintenant que l'armée occupe les anciens locaux de la base aérienne. Le bruit, le tapage, les gangs, tout ça. Un vrai cauchemar.

— Super, soupira Beth. Les soldats de l'armée de l'air sont tellement obsédés par le travail qu'ils ne savent pas prendre du bon temps.

Elle retira ses lunettes de soleil posées sur sa tête et donna un petit coup de coude à Walker, puis ajouta :

— Au fait, ne m'énervez pas ce week-end ou je vous laisse tomber du haut de la corde d'assurage.

— Ben voyons, Garcia. Je vais vous montrer qui c'est le roi de la falaise.

— C'est ça, rêvez.

Silence. Elle profita de ce moment de calme pour admirer le paysage qui défilait. Cette pause ne dérangeait pas Walker, il en avait pris l'habitude en Afghanistan. Cependant, il avait vraiment envie d'en apprendre plus sur elle.

— Que vous est-il arrivé après votre départ de l'hôpital de Bagram ? demanda-t-il en s'engageant sur l'autoroute 95 en direction du nord.

— Environ deux jours après l'incident, ils m'ont rapatriée en Allemagne, puis aux États-Unis dans la base de Walter Reed. De là, j'ai pu rentrer chez moi.

— Vous aviez l'air en excellente forme. Enfin, je parle d'hier, à la salle de sport. On en aurait oublié votre blessure. Pourquoi n'avez-vous pas tout arrêté ? Vous auriez pu être rapatriée sanitaire.

— Oui, mais je n'aurais pas su dans quelle branche me reconvertir. Et puis, je veux retourner au front. J'ai été entraînée pour ça, vous comprenez. J'ai travaillé dur pour intégrer les forces spéciales. Statistiquement parlant, il y a peu de chances pour que je sois touchée par balle une deuxième fois, non ? En tout cas, c'est comme ça que je vois les choses.

Elle s'assit de côté sur son siège pour le regarder en face.

Si elle connaissait les vraies statistiques concernant les chances d'être touché deux fois… Il n'aurait qu'à lui montrer ses cicatrices pour qu'elle comprenne.

— Comment s'est passée la fin de la mission ? s'enquit Beth.

Un rire échappa à Walker, d'abord sarcastique, puis peu à peu sincère.

— Quoi ? Pourquoi vous riez ? Que s'est-il passé ? insista-t-elle en lui pinçant le bras. Répondez-moi où je vous envoie directement en rééducation.

— Essayez toujours.

— Maintenant que vous êtes mon supérieur hiérarchique, je risquerais d'avoir des problèmes. Mais dites-moi quand même.

— OK, mais arrêtez de me pincer !

— Alors crachez le morceau ! J'adore écouter les souvenirs de guerre.

— Après notre épisode nocturne, on m'a envoyé dans une autre unité. Il ne me restait plus qu'un mois à tirer, je ne cherchais donc rien d'excitant. Un interprète nous accompagnait pour nous traduire ce qui se disait à la radio, mais on comprenait difficilement ce qu'il nous racontait.

— Il était saoul ?

— Plus ou moins. Les talibans persécutaient les familles des interprètes locaux, on prenait donc ce qu'il nous traduisait avec des pincettes.

— Je comprends. Et alors ?

— On était en patrouille. Rien d'extraordinaire, on ralliait les villageois à notre cause à coups de cookies et de draps propres. D'un coup, les tirs ennemis sont tombés en rafale. On s'est vite mis à couvert mais ils n'arrêtaient pas de tirer. Lorsque j'ai demandé à l'interprète de me traduire ce qui se passait à la radio, il m'a répondu qu'ils ne disaient rien de spécial, que ça ne nous concernait pas.

— Vraiment ? Et ensuite ?

Elle se pencha vers lui, impatiente d'entendre la suite. James se retint de sourire. Les anecdotes militaires attiraient toujours l'attention. Ils en avaient tous et c'était toujours amusant de s'en rappeler. Enfin, presque toujours.

— On roulait depuis deux heures sous les tirs de fusils et de grenades. Vous vous souvenez quand notre véhicule a explosé lors de notre dernière patrouille ? Eh bien j'allais revivre la même scène.

— C'était donc vous ! Espèce de chat noir, vous nous portiez la poisse !

— Très drôle.

— Que s'est-il passé ensuite ?

— Après ces deux heures sous les tirs du bataillon de chars, j'ai réveillé l'interprète…

— Il dormait ?

— Ouais. Nos secours aériens étaient à une heure de route et nous avions déjà quelques blessés légers, j'ai voulu limiter les dégâts. D'un coup de pied, je l'ai réveillé et je lui ai demandé de me dire exactement ce qu'il entendait à la radio, mot pour mot. Il répétait : « Ce n'est rien, des chiffres, comme des mathématiques. Cent de plus, encore cent, retirez cent… »

— Oh mon Dieu ! s'écria Beth en éclatant de rire. Pendant tout ce temps, ils vous localisaient et l'interprète n'a rien remarqué ?

— Franchement, je n'ai jamais ressenti une telle envie de tuer quelqu'un. Jamais, je vous jure. Encore aujourd'hui, je ne suis même pas sûr que cet idiot ait compris.

Tout en parlant, les mains de Walker se resserraient sur le volant. Il riait, mais ce souvenir lui laissait un arrière-goût amer.

Beth se remit droite sur son siège.

— Waouh, c'est dingue. Personne n'a été gravement blessé ?

— Pas depuis vous.

Silence dans l'habitacle. Walker remarqua sur son tableau de bord une demande de synchronisation à un iPod. Il appuya sur le bouton « oui » en sachant qu'il avait laissé le sien chez lui. La voiture devait capter le signal de l'iPod de Beth. Quelques secondes plus tard, les notes d'un jazz sud-américain résonnèrent dans les enceintes.

Beth se redressa d'un bond.

— Vous me volez ma musique !

— Oui, c'est vrai. En fait, je suis surpris. Je vous imaginais plutôt fan de rock trash à faire saigner les tympans.

— Pourquoi ça ?

Il s'autorisa une minute de réflexion.

— En fait, je n'en sais rien. C'est ce que vous m'inspirez.

Sa remarque sembla la crisper, comme si elle attendait quelque chose. Il ne sut comment se rattraper, bien qu'il ignore ce qu'il avait dit de mal.

— En tout cas, c'est agréable d'écouter de la bonne musique pour la route, proposa-t-il en réponse avec un regard en coin pour observer sa réaction. Elle sembla se détendre, puis tapa du pied en rythme avec la musique. Puisqu'elle se relaxait, lui aussi. Ses doigts relâchèrent leur tension sur le volant, mais il sentit que sa nervosité concernant le mariage de sa sœur refusait de se dissiper. La culpabilité est un sentiment terrible. Il ne voulait pas qu'elle vienne gâcher son week-end avec Beth.

Chapitre 4

Le commentaire de James avait fait peur à Beth. Il pensait qu'elle aimait écouter du rock violent – la musique que ses soldats écoutaient en mission – et Beth avait aussitôt craint qu'il ne cherche à diriger la conversation sur sa force de caractère et son autorité. Allez savoir pourquoi, certains hommes croyaient que sa fermeté en uniforme était la même que dans l'intimité du quotidien, ou de la chambre. Bande d'amateurs.

Son dernier rendez-vous galant avait d'ailleurs été déroutant. Pendant leur repas dans un restaurant japonais, le type d'une unité voisine répétait sans arrêt entre deux sushis qu'il s'était mal comporté et qu'il méritait d'être puni. Finalement, Beth avait prétexté une intoxication alimentaire et avait appelé un taxi pour rentrer chez elle. Un trajet à cent dollars. Non, c'est non. Ce n'était pas son truc.

Elle voulait un homme qui sache apprécier son autorité sans s'y soumettre. De toute manière, elle ne voulait pas d'un homme tout court. Même si elle cherchait à se caser – et ce n'était pas le cas – il était hors de question pour elle de partir en déploiement en laissant un petit ami derrière elle. Même pas en rêve.

Bon sang, qui cherchait-elle à convaincre, au juste ?

Sa chanson préférée la tira de ses pensées et elle sentit tout son corps s'apaiser. *Oublie tes soucis, ce n'est ni plus ni moins qu'un week-end pour grimper.* Pourtant, si James faisait un premier pas vers elle, Beth aurait tout le mal du monde à le repousser. Bon sang, cela faisait une éternité qu'un homme ne l'avait pas touchée. Parfois, elle se laissait aller à fantasmer. Parfois, cela suffisait. Bercée par la musique, elle ferma les yeux et revit le visage de James entre ses jambes alors qu'une pluie de balles s'abattait sur eux en Afghanistan. Elle retira ensuite le contexte du champ de bataille pour le remplacer par un grand lit.

Il était musclé. Heureusement, sans cela, il n'aurait jamais pu la porter sur une épaule, le sac à dos sur l'autre, avec le poids de leur armement. Il n'aurait jamais pu les sortir de cette satanée vallée isolée. Il était plus grand qu'elle et beaucoup, beaucoup plus musclé. Elle rouvrit les yeux et lui lança un regard discret. James portait un tee-shirt et un semblant de tatouage apparaissait sous sa manche. Si elle lui proposait de lui montrer les siens, il accepterait peut-être de soulever la manche pour lui faire voir le reste.

Coquine.

— Qu'est-ce qui vous fait sourire ? demanda-t-il en dépassant un camion.

— Rien, c'est la musique, s'empressa-t-elle de répondre, puis elle se redressa sur son siège. Alors, qu'avez-vous prévu pour le week-end ?

Elle se dit qu'il serait intéressant de chercher sur son Smartphone le topoguide de la falaise qu'ils s'apprêtaient à grimper, histoire de connaître les cotations.

— J'ai pensé qu'on pourrait s'attaquer à la montagne Whitetop, si ça vous tente. C'est en Virginie. Je l'ai grimpée une fois, quand j'étais plus jeune. C'était notre échappatoire à ma sœur et moi.

Elle se mit à rire.

— Que cherchiez-vous à fuir, tous les deux ?

En même temps qu'elle posait la question, le téléphone de James émit un bip. Il voulut l'attraper mais le laissa échapper. Le téléphone rebondit sur le tableau de bord avant de tomber par terre.

— On garde les yeux sur la route, mon adjudant. Je n'ai pas passé un an en rééducation pour mourir dans un accident de voiture.

Elle plongea la main entre les jambes de James et ramassa le portable au sol, passant accidentellement le doigt sur l'écran.

Tu rentres à la maison ?

— Hum, pardon je ne voulais pas…

Elle lui montra l'écran qui était déjà redevenu noir.

— Qu'est-ce que ça disait ? demanda James.

— Seulement « tu rentres à la maison », quelque chose comme ça.

Une sueur froide lui glaça l'échine.

— Vous n'êtes pas marié, si ?

Il y avait une note d'inquiétude dans ce message digne d'une épouse inquiète de ne pas voir son mari rentrer.

— Non. Non, je ne suis pas marié. Je n'ai pas de petite amie non plus. Rien de ce genre.

Ouf.

— Dans ce cas, qu'est-ce qui se passe ? Quelle maison essayez-vous de fuir ?

— La maison familiale. Pouvez-vous regarder qui l'a envoyé ? Ce n'est pas assez vulgaire pour venir de Sadie. Sadie est ma grande sœur, ajouta-t-il en lançant un bref regard à Beth. Regardez qui me l'a envoyé.

Beth glissa le doigt sur l'écran et ouvrit le message.

— Maisie ?

Un silence.

— Vraiment ? s'étonna finalement James.

— Oui, vraiment.

Mais qui est cette Maisie, bon sang?

— Ma petite sœur, avant que votre esprit ne démarre au quart de tour.

— Croyez-moi, mon esprit a démarré avant le moteur de cette voiture ce matin. Que se passe-t-il avec votre famille, aujourd'hui ?

— Sadie se marie ce week-end. Il y aura des centaines de…

— Quoi ? Et vous partez en vadrouille avec quelqu'un que vous connaissez à peine ? Vous êtes malade ?

Il devait y avoir une bonne raison pour qu'il ne veuille pas rejoindre ses proches, mais tout de même.

— Ma famille est très compliquée. Moins je les vois, plus je les aime. De loin. De très, très loin.

Beth ne pouvait pas comprendre une chose pareille. Pour elle, la famille était la chose la plus importante au monde. Elle n'avait pas connu son père, mais avec Tammer et leur mère, leur trio était inséparable. Ensuite, leur mère était morte et il ne lui restait plus que Tammer. Pour elle, il était impensable de ne pas vouloir assister au mariage de sa sœur.

— J'y serais allé si j'avais été accompagné. J'ai besoin d'une couverture, sinon mon père me bassinera tout le week-end avec ses suggestions de belles-filles, grommela James en lui lançant un regard. Un jour, il a essayé de me caser avec son ex-amante. Il pensait qu'elle apporterait une décente lignée d'ancêtres à notre famille.

— Il a fait quoi ? Votre vie est un véritable feuilleton, c'est génial ! Enfin non, excusez-moi, ça ne doit pas être facile, mais quelle histoire ! fit Beth en éclatant de rire, puis elle porta une main à sa bouche. Pardon, vraiment. Je ne peux pas comprendre ce que ça fait.

— Ne vous excusez pas, je sais bien que la situation est grotesque.

Il se mit à rire avec elle, d'abord timidement, puis de plus en plus fort. C'était comme s'il venait de s'apercevoir de ce qu'il racontait.

— Oh je vous jure, j'adorerais rencontrer votre famille. Ils ont tous l'air complètement fous. Vous avez d'autres anecdotes comme celle-ci ?

Confortablement installée dans son siège, elle attendit impatiemment la suite et s'aperçut rapidement que ce n'était pas si amusant.

— Mon père gère une « affaire » qu'il aimerait que je rejoigne comme l'a fait ma grande sœur. J'ai préféré m'enrôler dans l'armée aérienne. Il est persuadé que je ne vais jamais au front.

— Hum, vous avez l'un des postes les plus dangereux de toute l'armée de l'air, James.

— Je mens à mon père dès que ça peut le garder en dehors de ma vie privée.

— Ah bon.

— Mes parents veulent que j'épouse mon ex-copine. Ils n'arrivent pas à s'enlever cette idée de la tête, donc…

Il s'interrompit.

— Donc quoi ?

La suite n'était pas difficile à deviner.

— Voilà pourquoi je n'ai pas envie d'aller à ce mariage. Dès que mon père insiste pour me présenter à une inconnue – et elles sont nombreuses – je dois me poser la question : sont-elles intéressées par le potentiel que représenterait notre couple pour les deux familles, ou cherchent-elles à me faire quitter l'armée pour un meilleur poste ? C'est trop de pression. Au moins, Sadie me comprend. Elle est passée par là et fait tout pour nous préserver, ma sœur Maisie et moi, de ce piège familial. (Son regard quitta la route une seconde pour se poser sur son téléphone.) Enfin, c'est ce que je croyais, se corrigea-t-il. Je dois appeler Maisie pour qu'elle m'explique ce qui se passe. Je les ai prévenues il y a plusieurs mois que je ne viendrais pas. Je ne comprends pas pourquoi ça pose soudain un problème.

Il prit le téléphone des mains de Beth et le posa sur le support du tableau de bord.

— Appeler Maisie, commanda-t-il vocalement.

Aurait-il mal compris les messages de ses sœurs ? Après deux sonneries, Maisie décrocha.

— James ?

— Salut, la Naine. Qu'est-ce que ça veut dire ? Je t'ai pourtant dit que je sortais ce week-end.

D'un regard en direction de Beth, il voulut voir sa réaction à son mensonge improvisé. Elle lui tira la langue.

— Je sais.

La voix de sa petite sœur laissait paraître une étrange douleur. James l'entendit renifler, son cœur se serra.

— Que se passe-t-il ?

— Je reçois de drôles d'e-mails. Sadie aussi, mais elle ne veut pas qu'on en parle.

Le sang de James ne fit qu'un tour.

— Tu en as parlé à papa ?

— Sadie m'en empêche.

Il tourna la tête vers Beth qui fronçait les sourcils.

— Que disent-ils ces e-mails, ma puce ?

Sa voix tremblait à l'autre bout du fil.

— Dans le dernier, il disait que j'étais jolie dans ma robe de demoiselle d'honneur. Personne n'a vu ma robe à part Sadie. On a dû être suivies au magasin.

Le cœur de James battait la chamade.

— Tu en es sûre ?

Après un regard dans le rétroviseur, il prit la première sortie d'autoroute.

— Il a décrit la robe.

— Maisie, tu dois en parler à papa.

Il s'arrêta près de la rambarde au bord de la route et alluma les feux de détresse.

— Sadie ne veut pas, commença-t-elle à pleurer.

— Écoute, ma puce. Je vais appeler Sadie, d'accord ? Je te rappelle tout à l'heure.

Dès qu'il eut raccroché, il serra le volant aussi fort qu'il le put. *Bordel!* À quoi pensait Sadie ?

— Vous devriez y aller. Je vais y aller. Hum… Ce que je veux dire, c'est que vous devriez aller au mariage pour vous assurer que vos sœurs vont bien. Je vais rentrer chez moi. Laissez-moi quelque part où je pourrai louer une voiture, ça ne me dérange pas. On remettra ce week-end à une autre fois.

Non. Hors de question. L'appel de Maisie l'avait mis dans tous ses états, mais ce n'était pas une raison pour annuler ce week-end avec Beth. Il avait trop longtemps attendu cette opportunité. Il ne restait qu'une seule solution.

— On devrait aller au mariage ensemble. Enfin, si ça ne vous dérange pas. Ce ne sera pas aussi amusant que l'escalade, mais…

Soudain, il eut des images du mariage, de lui et Beth dansant un slow, d'une chambre partagée à l'hôtel.

Reprenant ses esprits, il changea d'avis. Son envie d'être auprès d'elle ne devait pas empiéter sur ce qui le poussait à aller au mariage. Beth voulut répondre mais il lui coupa la parole.

— J'ai changé d'avis. Ce n'est pas une bonne idée. Je voulais simplement vous emmener en week-end pour nous adonner à une activité qu'on adore tous les deux.

Pourvu qu'elle ne comprenne pas de travers. Dans le doute, il ajouta :

— C'est-à-dire la grimpe.

Il pensait surtout à une autre sorte de grimpe. De son côté, Beth semblait avoir pris sa propre décision.

— Allez, James, ce sera amusant ! Je ferai tout pour ne pas vous mettre mal à l'aise, sauf si vous me demandez de me battre avec l'auteur anonyme des e-mails. Je serais ravie de vous accompagner.

— Comme c'est gentil, s'écria-t-il amèrement en lui lançant un regard noir. Vous me proposez de vous battre pour moi.

— On ne sait jamais. Je pourrais vous servir à faire fuir une de ces filles sournoises que votre père jetterait dans vos bras. Ou à courir après un voleur de bijoux au milieu de la cérémonie.

— J'ai bien peur que votre vision de ce mariage soit légèrement faussée. On est loin de l'aventure extraordinaire. On risque même de s'ennuyer à mourir, d'être mal à l'aise et de rencontrer des gens plus barbants les uns que les autres. On peut éventuellement se concentrer sur la protection de Maisie et essayer de raisonner Sadie.

Se tournant vers elle, il éteignit les feux de détresse et enclencha la première, mais, avant d'enfoncer l'embrayage, il lui demanda :

— Vous êtes certaine d'en avoir envie ?

Comme elle contemplait le pare-brise, James l'observa en pleine réflexion.

— Mon seul problème, dit-elle enfin, c'est que je n'ai rien à me mettre.

— Moi non plus. On passera au centre commercial avant d'aller chez mes parents. C'est cadeau. Achetez ce que vous voulez.

Elle esquissa un sourire.

— C'est parti, sus au mariage ! (D'un air de méchant dans les films, elle se frotta les mains en plissant les yeux.) Un week-end dans un feuilleton, j'ai hâte ! C'est un rêve qui devient réalité. Tammer ne voudra jamais me croire. Oh ! Je pourrais faire semblant d'être votre petite amie. Est-ce que ça permettrait de garder les prédatrices à distance ?

James éclata de rire.

— Et comment ! J'en rêvais !

En voyant la mine perplexe de Beth, il s'empressa d'ajouter :

— De me trouver une petite amie en guise de couverture.

Il secoua la tête. C'était pathétique, il devait se ressaisir, et vite.

— J'ai une carte de crédit sans plafond. Faites-vous plaisir avec vos fringues de feuilleton, dit-il à Beth en souriant.

L'excitation de la jeune femme était contagieuse, il aimait voir que leur programme l'excitait. Il reprit la route, direction l'autoroute en sens inverse.

— Alors comme ça, je serai votre petite amie pour le week-end, murmura-t-elle. Ça me plaît. J'aime quand les choses s'accélèrent, nous surprennent, nous emballent… et finissent merveilleusement *tôt*.

En fin de phrase, elle se mit à rire. James poussa un grognement.

— Qui sait, vous trouverez peut-être ça trop court. Si ça se trouve, vous aurez envie que ça dure longtemps, très longtemps.

— C'est ça, rêvez. Sachez que j'aime ce qui est court, même mes apéritifs je les bois court. Ne l'oubliez pas.

— Oui, m'dame.

— Mais si je dois être votre petite amie *le temps d'un week-end*, insista-t-elle sur ces derniers mots, j'ai besoin d'en savoir plus à votre sujet.

En quelques phrases, James lui lista ses précédentes compagnes, détailla le cauchemar de l'ex-amante de son père et résuma tout ce que la famille ne devait apprendre sous aucun prétexte. Lorsqu'il eut terminé, il se sentit rassuré et poussa un soupir.

— Vous êtes vraiment certaine de vouloir le faire ?

— Je ne vous laisserai pas tomber, mon adjudant. Je serai la meilleure petite amie que vous ayez jamais eue.

Pour ça, il n'avait aucun doute.

— Je préfère vous prévenir : Harriet sera là. Vous savez, l'ex que mes parents adorent. Elle sera témoin du mariage pour Sadie.

— Harriet ? Joli prénom.

— Pour une jolie fille qui ne me correspond pas, résuma James avec un sourire triste.

— Quel genre de petite amie ferait l'affaire, d'après vous ? Quel personnage dois-je interpréter ? Si j'ai bien compris, vos parents n'apprécieraient pas que vous arriviez au bras d'un sergent pour fiancée. Pardon, c'est sorti tout seul, je voulais dire pour *petite amie*.

— Vous savez quoi ? Encore ce matin, je n'avais pas prévu de m'y rendre. On y va, c'est déjà bien. Soyez vous-même, soyez qui vous voulez, peu importe. Je trouve ça extraordinaire que vous ayez envie de jouer le jeu.

— Il faut bien que je vous rende la pareille, même si je n'irai pas jusqu'à tuer quelqu'un pour vous, il ne faut pas exagérer, balbutia Beth en touchant le collant à l'intérieur de sa cuisse où James savait qu'il y avait la cicatrice. Et puis, je ne vous laisserai pas manquer le mariage de votre sœur.

— Ne dites pas ça. Vous ne me devez rien du tout. J'en aurais fait autant pour n'importe quel soldat. D'ailleurs, ce n'était pas la première fois. Vous pensiez être ma seule expérience aussi proche de la mort ?

Certes, il en avait vu d'autres, mais l'avoir presque perdue avait été un choc dont il avait encore du mal à se remettre.

Plongée dans le silence, Beth semblait avoir les larmes aux yeux. Il voulut détendre l'atmosphère.

— Je tiens tout de même à préciser que vous avez été ma première expérience de culotte en dentelle pendant un déploiement au front. Là, aucun doute, vous étiez ma première fois.

Elle se mit à rire.

— J'espère bien !

Puis elle retrouva son sérieux et recommença à taper du pied en rythme avec la musique.

Plus ils approchaient de Washington, plus James sentait son pouls accélérer. Il avait une furieuse envie d'étrangler sa sœur. Pourquoi Sadie ne laissait-elle pas leur père se débarrasser lui-même de ce problème de menace ? S'il s'agissait bien d'une menace. Il remercia intérieurement Beth qui ne semblait pas gênée par le silence. Quelques heures plus tard, James quitta l'autoroute I-495 en direction du centre commercial.

— On s'arrêtera au Tysons Corner où vous achèterez ce que vous voudrez. Trois jours, deux nuits : une journée de quartier libre, le dîner de répétition, la cérémonie, une soirée habillés comme des pingouins, et dimanche retour à la base. Qu'en pensez-vous ?

Malgré le ton désinvolte qu'il adoptait, il savait pertinemment combien c'était troublant. En tout cas, lui trouvait cela troublant. Il avait tripoté l'invitation pendant deux mois et connaissait le programme par cœur, mieux encore que son propre grade et numéro-matricule.

— Assurez-moi que vous êtes certaine à cent pour cent d'avoir envie de le faire, quémanda James avec un regard en coin vers la jeune femme.

Elle regardait droit devant elle, perdue dans ses pensées. Puis elle se tourna vers lui.

— Oui, je suis sûre de moi. Est-ce qu'on sera quittes ? Vous m'avez sauvé la vie, je vous aurai tiré des griffes de vos prétendantes. J'aurai payé ma dette, pas vrai ?

— Oui, m'dame. Si vous y tenez tant.

Il se demanda à quoi elle pensait. Cette femme était un mystère, mais puisqu'elle était là, il s'estimait heureux.

— Essayez simplement d'ignorer mes parents, d'accord ? Restez impassible, même si vous n'avez jamais rencontré de gens comme eux.

— Vous pouvez être plus clair ?

Il se passa une main sur le visage comme s'il cherchait à chasser ses parents de ses pensées. Si seulement c'était si facile.

— Mes parents ont une présence qu'on ne peut pas nier. Et en politique, ils sont bien présents aussi. Mon père pourrait mettre un terme à ma carrière d'un simple coup de fil. Il a toujours été très entouré et ne rêve que d'une chose : que son fils ait lui aussi des contacts. S'il passait ce coup de téléphone, je me retrouverais à travailler dans une usine de recyclage et il n'aurait plus qu'à me cueillir pour me faire rejoindre l'entreprise familiale. C'est pourquoi je ne lui dis que ce qu'il a vraiment besoin de savoir, ça me permet de garder mes distances. De ne pas le haïr. De ne pas le laisser me gâcher la vie.

Il s'attendait à recevoir une leçon de morale – après tout bien méritée – mais Beth n'en fit rien.

— Je comprends, dit-elle. J'ai passé toute mon enfance en robes roses à jouer avec des poupées de G.I Joe. Si ma mère n'était pas morte…

Elle marqua une pause, prit une profonde inspiration, et poursuivit :

— Si elle n'était pas morte, je n'aurais jamais rejoint l'armée. Je n'aurais pas réalisé mon rêve.

Si elle était toujours là, je serais mariée, enceinte et pieds nus dans la cuisine. C'est tout ce qu'elle a eu et tout ce qu'elle a toujours souhaité pour moi.

Elle posa brièvement une main sur le bras de James, sans doute pour appuyer son discours. Le contact de sa peau sur la sienne le fit partir ailleurs. Son esprit dériva vers ses fantasmes interdits où il se l'imaginait nue, les bras tendus vers lui. Dans un effort considérable, il ramena ses pensées vers l'instant présent.

— Je n'aurais jamais osé la décevoir. Malheureusement, il aura fallu qu'elle meure pour que j'emprunte la voie de ma liberté.

Ce dernier commentaire sortit de sa bouche dans un chuchotement.

Bon sang! S'il n'avait pas été derrière un volant, James l'aurait prise dans ses bras et l'aurait serrée très fort. Le ton triste de sa voix ne lui plaisait pas du tout.

— Je suis désolé, lâcha-t-il en guise de réponse parfaitement décalée.

Quel idiot, se reprocha-t-il.

— Ne le soyez pas, répondit Beth, soudain plus forte. De l'eau a coulé sous les ponts, depuis. Je voulais seulement vous dire que je comprends les attentes de vos parents, aussi irrationnelles soient-elles. C'est tout.

— Merci. Je suis désolé qu'on ait dû changer de programme. Tout ça pour nous retrouver dans la maison de l'horreur. J'exagère à peine. Enfin bon, peut-être réussirons-nous à nous amuser un peu, entre deux drames familiaux.

Le message était-il trop subtil ? Devrait-il lui avouer clairement qu'il avait envie de passer du temps avec elle et que cette opportunité permettrait de faire d'une pierre deux coups ?

Le sourire aux lèvres, elle se cala confortablement dans son siège.

— Tant qu'il y a un bar, un groupe qui chante des chansons que je peux fredonner à tue-tête, et des oncles ivrognes avec lesquels danser un slow, je suis partante.

Il se fichait dans un sacré pétrin, pourtant, il ne put retenir un sourire béat qui se dessina sur son visage.

Chapitre 5

James la déposa devant l'entrée du magasin Nordstrom avec une carte de crédit noire en métal American Express avant de partir faire quelques courses de son côté. Si Beth n'avait pas été si attentive à son récit dans la voiture, elle l'aurait soupçonné de trafiquer des armes, ou quelque chose de ce genre. Il ne l'avait pas dit clairement, mais entre son Audi, sa façon de marcher sur des œufs dans sa relation avec ses parents, et son vocabulaire issu d'une bonne éducation, Beth devinait que sa famille était fortunée.

À présent, elle se retrouvait dans une cabine d'essayage privée, à peine plus petite que sa propre chambre et bien mieux meublée. Une fois que l'habilleuse eut reçu les directives concernant le mariage, elle disparut dans l'arrière-boutique, laissant Beth assise sur une luxueuse chaise longue rose poudré. De chaque côté des grandes fenêtres étaient accrochés des rideaux de soie qui gonflaient en volutes gracieuses sous l'air soufflé par la climatisation. Devant elle, une table basse lui présentait des bouteilles d'eau et une assiette de cookies.

Qui irait manger des cookies en essayant des robes ?

On frappa à la porte, puis celle-ci s'ouvrit sur un courant d'air chaud. Un immense portant à roulettes sur lequel était accrochée une série de cintres fit son entrée à grand bruit. La conseillère le poussa jusqu'à un coin de la pièce près de la fenêtre et désigna les vêtements à Beth.

— Les robes de jour, les robes de cocktail et les robes de soirée, énuméra-t-elle. Ici, les sous-vêtements correspondant à chaque catégorie. J'ai remarqué que les vôtres n'étaient pas assortis aux robes d'été, par exemple.

Sur ce point-là, elle n'avait pas tort, mais Beth était mal à l'aise de sentir sur elle le regard accusateur d'une autre femme.

— Sous chaque tenue, vous trouverez les chaussures adéquates. Essayez tout ce qui vous plaît, mélangez les tenues, les chaussures, faites vos propres ensembles, puis accrochez les pièces choisies sur le petit portant, juste là contre le mur. Si vous avez besoin d'aide, appelez-nous en appuyant sur ce bouton. Si vous êtes coincée, appuyez sur le bouton rouge.

— Coincée ?

Avant de répondre, la conseillère l'étudia d'un bref regard.

— Cela ne risque pas de vous arriver, mais parfois, quelques cookies en trop et une robe trop serrée ne font pas bon ménage. C'est arrivé assez souvent pour qu'on estime nécessaire l'installation de ce bouton d'urgence.

Elle tira un rideau de soie devant la porte d'entrée et quitta la pièce.

— Waouh. OK, merci, lança Beth à l'espace vide.

En habituée des treillis et autres tenues de sport, elle ne se sentait pas dans son élément. Loin de là.

Que faisait-elle ici, au juste ? Elle se leva et essuya ses mains moites sur ses cuisses. Ah, oui. Elle avait une dette envers cet homme, et ce serait l'occasion d'acquérir de l'expérience pour sa carrière d'agent de protection à la CIA. Elle devait savoir se fondre dans tous les contextes, se mêler à toutes sortes de gens. L'opportunité était trop belle pour la laisser passer et, franchement, il était hors de question de laisser James manquer le mariage de sa sœur. Elle ne le laisserait jamais faire une chose pareille, ça non. En revanche, elle préféra faire l'impasse sur un détail pratique : ils allaient prétendre sortir ensemble. Ce n'était qu'après avoir émis cette suggestion qu'elle avait réfléchi à ce que cela impliquait. Au minimum, ils devraient se tenir la main en public.

N'y pense pas.

Elle se déshabilla, quitta sa brassière et sa culotte en coton pour les remplacer par un ensemble en dentelle rose choisi par la vendeuse. Le miroir reflétait une Beth totalement différente. Une Beth qu'elle n'avait encore jamais été. Libérant sa natte, elle laissa ses longs cheveux bruns tomber en cascade sur ses épaules. Waouh. Elle se sentait… différente. Féminine.

Le dos bien droit, elle se mit à essayer des robes. Elles étaient toutes magnifiques. Décidément, l'assistante avait l'œil. Beth en accrocha deux sur le portant des « pièces choisies » puis se tourna vers les robes de soirée.

Comme l'une d'elles tombait parfaitement sur ses hanches, Beth commença à se demander ce qu'en penserait James. Approuverait-il les robes ? Quels étaient ses goûts ? La trouverait-il sexy ?

Elle avait envie d'être sexy pour lui. Cette pensée lui fit froncer les sourcils. C'était pourtant vrai. Elle l'aimait bien, et ce depuis leur première patrouille ensemble. Il était discret, déterminé, imperturbable, avait beaucoup d'humour. Il savait trouver les mots justes pour chaque situation. Il ne mesurait que quelques centimètres de plus qu'elle, et était doté d'un corps d'athlète. Elle se rappelait encore de l'aisance avec laquelle il l'avait portée sur son épaule pour courir la mettre à l'abri. Il lui avait sauvé la vie. Des larmes menacèrent de couler et elle s'empressa de les chasser. *Arrête un peu de pleurer !* Ce week-end serait amusant. Ensuite, elle pourrait passer à autre chose. Se concentrer sur sa carrière. Ce serait une sorte de répit.

Cette robe était validée : fourreau, noire, longue, à peine brillante, un pan ramené sur l'une des épaules, l'autre bras nu. Elle se dit qu'avec les cheveux relevés, cette tenue la mêlerait sans accroc à la famille richissime de James. C'était un oui pour les escarpins noirs à lanières. Elle quitta la tenue et l'accrocha en bout de portant.

La robe suivante était rouge pourpre. Beth la décrocha du cintre et s'attela aux nombreuses attaches et autres crochets compliqués pour chercher à l'ouvrir. Elle récupéra ses lunettes de vue au fond de son sac et les chaussa pour mieux discerner le mécanisme compliqué du vêtement.

Tout en se débattant avec la robe, elle se dit que James aurait du mal à la lui enlever. Elle marqua une pause et s'imagina la scène plus en détail. Une bouffée de chaleur la saisit quand elle se figura la robe glissant doucement le long de ses cuisses pendant que les mains de James la caressaient doucement. *Non, non, non !* Ils étaient seulement amis.

Dommage qu'elle n'ait pas pensé à emporter son vibromasseur.

C'était forcément un rêve. Un fantasme. James cligna des yeux et sentit son pouls accélérer d'un coup comme s'il courait pour se mettre à couvert. Non, il ne rêvait pas. C'était là, sous ses yeux. Elle était… Les mots lui échappaient, tout comme la moindre pensée pragmatique. Telle une princesse dans sa tour d'ivoire, elle se tenait au milieu de tissus soyeux. La scène faisait penser à un clip d'Aerosmith. Des sous-vêtements en dentelle rose et des talons hauts. Très hauts.

Oh bon sang.

La vendeuse l'avait guidé jusqu'à la cabine et lui avait ouvert la porte avant de retourner voir d'autres clients. Les rideaux lui avaient d'abord masqué la vue. Il régnait un étrange silence dans la pièce et il s'était demandé si la conseillère ne s'était pas trompée. Il n'y avait peut-être personne, ou pire, une autre cliente.

Il avait finalement décidé de jeter un coup d'œil derrière les rideaux, rapide et furtif, pour ne pas être repéré. Mais à peine eut-il passé la tête qu'il se figea sur place.

Son corps réagit aussitôt et il dut se concentrer pour garder son calme. Devait-il continuer de l'espionner ou faire du bruit comme s'il venait d'entrer dans la cabine ?

Elle fronçait les sourcils et examinait la robe à travers des lunettes qui lui donnaient un air de libertine coquine et terriblement sexy. Il pressa la main contre son érection. *Du calme, en bas.* En jouant avec la robe, elle avait les jambes prises de frissons. James s'imagina, glissant une main entre ses cuisses, son sexe se frottant contre ses doigts. Il continua de regarder. Sa poitrine était à peine retenue par un soutien-gorge en dentelle rose. Il avait envie d'elle. C'en devenait douloureux. Surpris par sa propre main dans son caleçon, il réalisa qu'il ne pouvait pas rester là sans attirer son attention.

Il ouvrit et referma bruyamment la porte et tira les rideaux.

— Beth ?

Stupéfaite, elle leva les yeux et serra la robe contre elle pour se cacher.

— Hé ! Vous ne pouvez pas entrer comme ça…

Sa voix s'éteignit lorsqu'elle posa le regard sur la bosse formée sous le jean de James. Elle esquissa un petit sourire.

Rien ne put le retenir : d'un pas rapide, il parcourut la distance qui le séparait de Beth. Il ne s'arrêta qu'à un centimètre de son visage et lut toutes les émotions qui défilaient dans ses yeux. Elle en avait envie. Pourtant, un doute persistait.

Contre ses instincts, il fit un pas en arrière. Il ne voulait pas la voir douter à son sujet.

Avant qu'il n'ait pu s'éloigner encore, Beth saisit son tee-shirt par le col. Elle hésita une seconde, et l'attira lentement contre elle.

Il avait le corps en feu. Cette femme était si belle et déterminée qu'elle lui inspirait des idées parfaitement déplacées. Elle se mordit la lèvre et plissa les yeux derrière ses lunettes. Puis elle relâcha sa lèvre captive et parut hypnotisée par la bouche de James. N'y tenant plus, ce dernier ne perdit pas une seconde.

Il passa une main dans ses cheveux, la saisit par la nuque et plaqua ses lèvres contre les siennes. La bouche de Beth s'entrouvrit, ne laissant pas de place aux baisers chastes. Il domina sa langue qu'il caressa avec la sienne.

Des gémissements s'échappaient de la gorge de la jeune femme, ce qui décupla sa libido. Il était si dur que son pantalon lui coupait la circulation du sang. James la plaqua contre le mur tandis qu'elle attirait son bassin contre elle, son membre contre sa culotte. La poitrine de Beth se soulevait au rythme de sa respiration haletante.

— Plus. Donne-m'en plus, susurra-t-elle contre sa bouche.

Lui aussi en voulait plus. James recula d'un pas et passa la main autour de son cou avant de couvrir sa gorge de baisers. Il laissa son autre main s'attarder sur sa poitrine, sur son sein qu'il taquina avant de caresser son ventre plat. Lorsque ses doigts se posèrent sur le tissu de sa culotte, il prit son téton entre ses dents.

Beth tressaillit et les sons qu'elle produisait le rendirent fou. Il n'avait pas souvenir d'avoir autant eu envie d'une femme. Sa douceur, sa fermeté, il sentait qu'il perdrait la tête si elle n'était pas très vite sienne. Il voulait la posséder. Il avait besoin d'être maître de son corps, d'apprendre à le connaître mieux qu'elle-même.

Cette pensée l'excita davantage et, comme si elle lisait dans son regard, elle posa la main contre la raideur de sa virilité à travers le jean. Un grognement résonna et il s'aperçut un instant plus tard que c'était lui qui l'avait poussé.

Beth se pressait délicieusement contre sa main, frustrée des trop légères caresses qu'il lui offrait.

— Touche-moi. Je t'en prie, murmura-t-elle dans un souffle sur son visage.

— Dis-moi que tu me désires, laissa-t-il échapper, avide d'entendre ces mots si longtemps fantasmés l'année passée.

Il glissa une main dans sa culotte et hésita, car il voulait d'abord l'entendre approuver avant de la toucher. Quoique, à cette étape de leur étreinte, il ne sache plus qui de Beth ou de lui-même il cherchait le plus à exciter.

— Salaud, chuchota-t-elle en lui mordillant l'oreille, un geste qui manqua de faire perdre le contrôle à James. Tu veux m'entendre te supplier ?

— Oui.

— Touche-moi et je le ferai.

Tout en parlant, elle caressa son sexe au travers du pantalon et fit grimper la tension en lui, si bien qu'il sentit le monde se refermer sur lui-même, pressé contre cette femme plaquée au mur.

— Hum hum.

Le son désapprobateur provenait de la porte.

Meeeeeerde.

— Oh mon Dieu, s'écria Beth en s'écartant de lui, puis elle lança un regard incertain à James. Excusez-nous, madame. On est désolés. J'ai presque fini, ajouta-t-elle en désignant les vêtements.

La femme fronça les sourcils et répondit sèchement :

— Je vous attends dehors.

Et elle referma la porte derrière elle.

— J'ai l'impression de me retrouver à l'école privée, balbutia Beth en fuyant le regard du soldat.

Ses joues rougissaient. Un lourd silence avait envahi la pièce. *Hors de question de rester comme ça*, songea-t-il.

Beth se pencha pour ramasser la robe qu'elle avait laissé tomber par terre lorsqu'il était entré. Il la retint par le bras et l'attira doucement contre lui.

— Excuse-moi, murmura-t-il. Je ne voulais pas te mettre dans une situation embarrassante.

— Ce n'est rien.

Bon sang, elle refusait toujours de croiser son regard, or James ne voulait pas laisser le malaise s'installer.

Prenant son menton entre deux doigts, il la força à lever les yeux, puis se pencha tout doucement sur elle et frôla ses lèvres en un tendre baiser.

— Excuse-moi, répéta-t-il, chassant une mèche de son joli visage. Mais quand je t'ai vue, tu étais si belle que je n'ai pas pu m'en empêcher. J'en rêve depuis notre mission ensemble, je veux voir où ça nous mène. On ne peut pas nier ce truc électrique entre nous.

Elle le regarda longuement et il se demanda à quoi elle pensait.

— Je ne sais pas. Enfin oui, il y a un truc électrique, mais je ne veux pas d'une relation. Alors… c'est non, bredouilla-t-elle en fronçant les sourcils. Je refuse de partir en mission et de laisser un homme à la maison. Je ne veux pas de ce stress, de cette peur constante : que fait-il ? Avec qui passe-t-il ses journées ? Au travail, j'ai besoin d'avoir l'esprit clair. Tu comprends ?

Et merde!

Ce fut comme un coup de poing dans le ventre. La déception fut aussi saisissante que son désir.

— Bien sûr que je comprends, grommela-t-il, et ces mots manquèrent de l'étrangler.

Qu'était-il arrivé à Beth ? Avait-elle été trompée pendant un déploiement ? Il lui prit la main et l'embrassa sur la joue.

— C'est comme tu veux. Et pour ça… (D'un geste, il désigna le portant de cintres et les vêtements éparpillés un peu partout.) Tu n'as qu'à dire à la vendeuse qu'on prend tout. Tu feras le tri plus tard.

Elle hocha la tête et le regarda s'éloigner vers la porte. Chaque parcelle du corps de James réclamait cette femme. Il s'arrêta à mi-chemin et la contempla un moment. Elle était sublime avec ses cheveux en bataille. Et puis, il se souvint de l'achat qu'il venait de faire et plongea une main dans sa poche.

— J'ai failli oublier. Tu m'as donné une excellente idée dans la voiture.

De sa poche, il sortit un petit écrin bleu, marque de fabrique de Tiffany's.

— Épouse-moi. Autant donner un nom à notre relation pour que les gens nous fichent la paix ce week-end, en particulier mes parents.

Avec un rire nerveux, Beth ouvrit l'écrin et, prise par surprise, elle porta une main à sa poitrine.

— Oh, elle est magnifique, jugea-t-elle d'un air pensif, puis elle quitta le bijou du regard pour plisser les yeux. Ne perds surtout pas la facture.

— Je te retrouve dehors.

James referma la porte derrière lui et s'éloigna à regret de son fantasme : faire d'elle, un jour, sa compagne.

Chapitre 6

Pendant que la vendeuse scannait les codes-barres, ils se disputèrent pour payer.

— Je ne te laisserai pas faire. C'est trop bizarre.

— Écoute. Tu me rends service, donc je paie. Et puis, en plus de mon salaire d'adjudant, j'ai un fonds fiduciaire.

Elle lui lança un regard accusateur.

— Attends une minute. Tu évites ta famille mais tu acceptes un fonds fiduciaire ? C'est scandaleux.

— Il m'a été légué par ma grand-mère qui a passé bien plus de temps avec moi que mes parents quand j'étais petit. Pour ton information, sache que je n'y touche que lorsque je cherche à m'attirer les faveurs d'une demoiselle. Ou pour acheter une Audi.

Haussant les épaules, il réfléchit avant d'ajouter :

— En fait, ce sont vraiment les seuls moments où je touche à cet argent.

Beth ne sourcilla pas.

— N'empêche que je ne te laisserai pas dépenser un centime en vêtements pour moi. Lâche l'affaire.

— Ça fera 12 326,15 dollars, s'il vous plaît. Vous avez la carte du magasin ?

Beth se figea.

— Tu veux toujours payer ? demanda James d'un ton faussement détaché.

— Non, ça va. Je t'en prie.

Mince ! Elle se serait crue dans une scène de *Pretty Woman*, quelle horreur !

Il se mit à rire.

— Je m'en doutais.

Pour seule réponse, elle le frappa au bras lorsqu'il tendit sa carte bancaire noire à la vendeuse. Tous ces vêtements ! Tous ces Jimmy Choo. Aucun doute, elle irait tout droit en enfer. L'avantage, c'est qu'elle serait élégante pour rencontrer le diable.

Sa nouvelle alliance brillait à son doigt. Elle n'aurait jamais pensé porter des diamants un jour. En fait, elle n'aurait jamais cru inspirer un tel achat à un homme. C'était la plus belle bague qu'elle ait jamais vue. Loin de l'alliance classique – un diamant sur un anneau – celle-ci était en argent, ou plutôt en platine, et formait une spirale de petits diamants en trois tours autour de son doigt. Toute la première phalange de son annulaire scintillait à la lumière. Tout en délicatesse, ce bijou portait clairement son message. Elle n'avait jamais rien vu d'aussi beau. Cet idiot avait trouvé la bague parfaite et gâchait toutes les opportunités futures de Beth : elle n'en recevrait jamais qui soit à la hauteur de celle-ci.

En silence, elle se fit la morale. *Ce n'est pas une vraie alliance.* Sa seule inquiétude fut que les diamants éblouissent un chauffeur qui risquerait de provoquer un accident ou de se retrouver dans un réverbère. Elle craignait aussi de la perdre.

Elle se ressaisit. Dès leur retour de Caroline du Nord, ils marqueraient un arrêt à Tiffany's pour se faire rembourser. C'était un emprunt. Et ce n'était pas le sien.

— Jamie !

Une voix juste derrière eux les fit sursauter. Beth se retourna, déçue par son temps de latence indigne d'un sergent. Une petite blonde tendit les bras vers James. Elle était magnifique. Beth avait rarement vu une personne si vivante, si électrique, et si... petite. À côté, elle avait l'impression de mesurer deux mètres.

— Harriet ! répondit James en accueillant son étreinte. Comment vas-tu ?

La jeune femme s'écarta de lui sans le lâcher.

— Mieux maintenant que je te retrouve. Tu m'as manqué. J'espérais te voir au mariage mais Sadie m'a expliqué qu'elle te donnait le droit de faire l'impasse. Je suis tellement contente de te revoir.

Beth retint son souffle et craignit que Harriet s'immisce dans leur plan machiavélique. Le secret ne devait-il pas rester entre elle et James ?

Ce dernier fit un pas en arrière et passa un bras autour de la taille de Beth. Elle poussa un soupir de soulagement.

— Je te présente ma fiancée, Beth. Beth, voici Harriet, une très bonne amie à moi.

Le sourire de Harriet ne ternit pas lorsqu'elle laissa son regard s'attarder sur la fiancée et plus encore sur l'alliance. C'était plus fort qu'elle, Beth posa sa main sur le torse de James et observa l'effet des diamants sur l'ex-copine. *Quelle sorcière tu es !*

Que lui arrivait-il ? Elle était passée d'amie à amante, puis à fausse amante jalouse, le temps d'un rechargement de M-4 : à savoir, zéro seconde. Elle retira vivement sa main. Franchement, pour qui se prenait-elle ?

— Je suis ravie de vous rencontrer, dit-elle à Harriet, cherchant silencieusement à se faire pardonner. James m'a beaucoup parlé de vous.

Elle lui tendit une main que Harriet serra volontiers.

— Je croyais que tu ne venais pas, et voilà que tu débarques avec une jolie fiancée. J'ai hâte d'aborder tous les détails de votre histoire ce week-end. Ce sera tellement amusant !

Beth s'écarta de James et toucha le bras de la jeune femme.

— Moi aussi, j'ai hâte de boire un verre avec vous, de discuter de James et de tous ses… défauts.

Elle lui adressa un clin d'œil comme pour souligner une sorte de coalition féminine. James éclata de rire. Le regard de Harriet s'illumina.

— Pour ça, j'ai beaucoup à vous dire, ma chère. À plus tard, alors.

Elle tourna les talons et s'en alla avec ses achats Nordstrom.

De leur côté, ils retournèrent à la voiture chargés de leurs acquisitions hors de prix.

— Elle a l'air gentille, observa Beth.

— C'est parce qu'elle l'est, affirma James en lui montrant le chemin jusqu'au parking.

— Que s'est-il passé entre vous ?

— Pas grand-chose. Elle est veuve. Elle s'est mariée adolescente et s'est retrouvée veuve à vingt ans. Depuis, elle a beaucoup changé. Ou peut-être qu'elle n'a pas changé du tout, au contraire. Je ne sais pas. Elle est géniale, mais ça ne fonctionnait pas entre nous. Je suis sûr que tu t'entendras bien avec elle. Un petit conseil : ne crois rien de tout ce qu'elle te racontera à mon sujet.

Il lui décocha un sourire de petit garçon.

— Waouh, maintenant j'ai hâte de la revoir pour qu'elle me dise tout. Veuve si jeune, ce devait être dur pour elle.

Comment pouvait-on croquer la vie à pleines dents après une telle épreuve ?

— De l'eau a coulé sous les ponts, depuis, fit James en approchant de la voiture. Bref, j'espère que vous pourrez passer un peu de temps ensemble. Elle est de bonne compagnie, ça te permettra de souffler après avoir affronté ma famille.

— De souffler ? Mais non, un petit verre et ça repart, lança-t-elle avec un clin d'œil qui ne convainquit pas James.

En gage de réconciliation après leur débat à la caisse du magasin, Beth prit une décision :

— Je ne vais pas retirer les étiquettes. Comme ça, on pourra ramener tous les vêtements en rentrant à la base.

— On peut faire ça ? On peut emprunter des fringues à un magasin ?

— Je ne l'ai encore jamais fait, mais je comprends mieux pourquoi certains ne se gênent pas, admit-elle en riant. Sans mentir, je n'aurais jamais porté d'habits aussi chers de toute ma vie. Sortie des treillis, je n'ai que des tenues de sport.

— Sur ce, je tiens à te prévenir au sujet de ma famille, l'interrompit James en quittant le parking pour prendre la route.

Oh oh.

— Me prévenir ?

— On ne peut pas faire les choses à moitié. Mes parents sont du genre rigide. Ils ont passé les dix dernières années à essayer de me caser avec des filles qui répondaient à leurs critères : situation familiale, ancêtres, attitude, ils appellent ça l'ascendance. Aucune de ces femmes ne m'intéressait. En tout cas, pas celles que j'ai rencontrées. Ne sois pas choquée par ce que tu risques de trouver. S'ils ont cette immense maison, c'est uniquement parce qu'ils préfèrent passer le moins de temps possible dans la même pièce. Et le boulot de mon père... Disons qu'il travaille toute la journée et qu'il bénéficie d'une protection rapprochée.

— Il bénéficie de *quoi* ?

Beth sentit les poils de ses bras se hérisser. Ce pouvait être amusant de berner ses parents le temps d'un week-end, mais en sachant que le père avait des gardes du corps, cela ressemblait soudain à un énorme risque, celui de se faire démasquer par un homme de pouvoir.

— Ne t'inquiète pas, ses agents ne l'accompagnent que lorsqu'il quitte la propriété. Ils habitent sur place mais ne sont pas dans ses pattes tant qu'une autre personnalité ne s'invite pas dans la maison.

— Quel travail fait-il au juste ?

— Il est directeur de la CIA.

Il le prononça rapidement, comme s'il avouait être le fils du manager de Wal-Mart.

— Quoi ?

Inconsciemment, elle songeait déjà à son futur poste. Avec cette histoire de supercherie, elle prenait le risque de ficher en l'air son rêve d'avenir professionnel. Un seul faux pas et… Oh, non ! Sa présence au mariage était déjà un faux pas. Elle le regarda, bouche bée. Non, elle ne pouvait pas lui dire. Règle numéro un lorsqu'on postule à ce poste : ne dire à personne qu'on postule à ce poste.

Merde. Merde. Merde.

— Quoi ? s'inquiéta James.

Il mit le clignotant et s'engagea dans une ruelle où il arrêta la voiture, puis il se tourna vers Beth.

— Quoi ? C'est le fait que mon père travaille à la CIA ? Je te jure, on ne craint rien.

— Comment ça, on ne craint rien ? Dès que j'aurai mis le pied dans cette maison, je vais subir un interrogatoire dans les règles. Ils sauront tout de suite qu'on n'est pas vraiment ensemble. Et puis, comment peut-il ignorer que tu travailles dans l'armée de l'air ?

Ce type manquait totalement de bon sens. Il était loin du héros compétent et prêt à tout sur lequel elle fantasmait depuis un an.

— Écoute, je ne voudrais pas te décevoir, mais il aura d'autres chats à fouetter : des terroristes étrangers ou des missions internationales, par exemple. Il est à la tête de la CIA depuis longtemps et n'a jamais pris la peine de s'informer sur sa propre famille. Pourquoi le ferait-il ? Ce serait un abus de pouvoir. De toute manière, il ne perd pas son temps avec des affaires qui ne mettent pas la sécurité de l'État en danger. Il pourrait regarder mon dossier, c'est sûr. Mais pour quoi faire ? Je te jure, Al-Qaïda est prioritaire à ses yeux.

Elle avait besoin de réfléchir. Bien sûr elle voulait le croire, mais elle craignait vraiment que ce week-end amusant dans un feuilleton ne tourne au désastre pour sa carrière. Après ça, elle pourrait abandonner l'idée de quitter l'armée pour servir son pays comme elle en rêvait.

— Bon, recommence depuis le début. Parle-moi de ta famille.

— D'accord. Sadie est ma grande sœur, celle qui se marie. Elle a cinq ans de plus que moi et son futur époux s'appelle Simon Phelps. Il est militaire, membre de la Delta Force, je crois.

Beth était stupéfaite. Depuis ses débuts dans l'armée, elle n'avait encore jamais rencontré de membre de la Delta Force. En tout cas, pas qu'elle sache. Ils étaient l'élite anonyme. James poursuivit :

— Ils ne sont pas ensemble depuis très longtemps. Ils se sont rencontrés à l'étranger. (Sa propre ignorance l'amusa.) Tu vois ? Ma famille est un cas désespéré : je ne sais ni où ni comment ils se sont rencontrés.

Après un bref regard vers Beth qui restait silencieuse, il reprit la route et son récit.

— En gros, entre les murs de la maison familiale, il vaut mieux éviter les questions du type : « Que faites-vous dans la vie ? » Ou « Qu'avez-vous fait aujourd'hui ? » C'est l'une des premières leçons que j'ai apprises. On ne reçoit que de jolis mensonges en réponse et ce n'est pas la meilleure solution pour construire une famille soudée.

— Parler du beau temps, des vacances et de la nourriture. Compris.

Elle se rongea un ongle.

— Oui, ce serait un bon début, fit James en souriant. Tu es nerveuse ? Ne t'inquiète pas, je ne t'abandonnerai pas à ton sort. Et puis, je ne t'ai pas encore parlé de Maisie.

— Ah oui, Maisie. Tu es inquiet après ce qu'elle t'a raconté ?

— Oui. Moins que si on était une famille normale, mais je m'inquiète un peu quand même. Mes sœurs n'ont pas la garde rapprochée de mon père et je ne comprends pas pourquoi Sadie refuse de lui parler de ces e-mails. Très tôt, on a appris à raconter tout ce qui nous arrivait de douteux. (En y repensant, il fronça les sourcils.) Heureusement, la propriété est sécurisée. La cérémonie se déroulera à la cathédrale de Washington, mais le reste de la fête se fera à la maison. Je ne serai rassuré que lorsque j'aurai parlé à Sadie et lu ces fameux e-mails.

Beth hocha la tête. Elle aussi avait envie de les lire. Cette histoire ne la regardait pas, mais elle avait été formée au harcèlement et pouvait peut-être déceler des indices qui échapperaient aux autres. Peut-être.

— Parle-moi de Maisie.

— Ma plus jeune sœur, treize ans, rebelle, gothique, intelligente. Tu auras beau essayer, rien ne pourra détourner l'attention de ce qu'elle nous aura concocté pour se faire remarquer. Je te jure, à moins de faire un strip-tease pendant les vœux des mariés, tous les regards seront sur elle. Enfin, s'il te prend l'envie pressante de te déshabiller, fais-moi signe et je nous trouverai un coin à l'abri des regards.

Elle lui donna un petit coup de poing dans le bras.

— Hé ! Ce n'est pas parce que je joue deux jours à la fiancée que ça vous donne droit à un strip-tease, mon adjudant.

— Mince.

Devant la mine faussement déçue de James, Beth éclata de rire.

— Ma famille est composée de tous les clichés qu'on peut trouver à McLean en Virginie : l'oncle alcoolique, la petite sœur terroriste, la mère coincée, le père absent…

— Je ne m'attends à rien, je t'assure. Depuis la mort de ma mère, ma famille se résume à ma sœur et moi. Découvrir ta famille sera forcément amusant. En tout cas, ce sera amusant une fois qu'on se sera débarrassés de ce problème d'e-mail.

Elle esquissa un sourire encourageant.

— On est arrivés, lança James en passant la première avant de prendre le virage à droite.

Il ne voulait pas manquer la réaction de Beth lorsqu'elle verrait les immenses grilles noires s'ouvrir devant eux. Il n'avait jamais ramené de petite amie ici, encore moins une fiancée. *Une fausse fiancée, ne l'oublie pas.* Harriet étant amie avec Sadie depuis l'université, elle était toujours venue en tant que telle, jamais en tant que petite amie de James.

En voyant les yeux de Beth s'agrandir comme ceux d'un personnage de manga, il ne put retenir un sourire.

Il valait mieux avancer lentement dans le pétrin qui attendait la pauvre militaire. En silence, il conduisit la voiture jusqu'au poste de sécurité. Là, il se pencha à la fenêtre et s'adressa à l'agent en uniforme qui tenait un calepin et portait une arme à sa ceinture. De toute évidence, il souffrait d'arthrite. Son père n'avait jamais abandonné un employé après des années de loyaux services. Il savait que Chip sacrifierait sa vie pour sauver celle de la famille Walker, que le père soit à la tête de la CIA ne changeait rien à sa loyauté. La maison, quant à elle, était sous télésurveillance.

— Hé, Chip ! Comment ça va ?

Un vacarme assourdissant retentit quelque part entre les arbres, suivi par un cri de colère.

— Ma foi, on fait aller, répondit Chip avec un bref regard en direction de la maison et il haussa à peine le sourcil.

Dans un rire, James tira la langue.

— Bienvenue à la maison, soupira-t-il. Je reviens te voir demain.

— Je ne serai pas là, monsieur. On m'a congédié jusqu'à lundi.

— Quoi ? s'exclama James en enclenchant la première.

— Ils ont fait appel à une autre agence de sécurité, je crois. On ne m'a rien dit. Je sais seulement que je dois prendre mon week-end et revenir lundi, conclut Chip en coinçant un crayon dans la pince du calepin. Au moins, ma femme est contente.

— C'est bizarre.

Chip acquiesça d'un hochement de tête.

— Je trouve aussi, mais ça ne me regarde pas.

Perplexe, James regarda par son pare-brise.

— OK, dit-il finalement. Dans ce cas, bon week-end. Tu n'as pas changé de numéro de téléphone ?

Chip secoua la tête.

— Non.

Puis il retourna dans son poste et appuya sur le bouton qui déclenchait le retrait des piliers du portail jusqu'au milieu du chemin.

— Bonne journée, mademoiselle, lança-t-il à Beth.

Comme ils s'engageaient dans l'allée, James lui expliqua :

— Je n'étais pas encore né que Chip travaillait déjà pour ma famille. Parfois, il faisait office de nounou.

— Il doit avoir beaucoup d'anecdotes à raconter, sourit Beth. Merci de n'avoir rien dit à mon sujet. J'aurais trouvé étrange de lui mentir.

En réalité, James n'y avait pas réfléchi, mais maintenant qu'elle en parlait, il s'aperçut que c'était justement la raison pour laquelle il ne les avait pas présentés l'un à l'autre. C'était une chose de mentir à sa famille qui n'avait jamais été là pour lui, c'en était une autre de mentir à Chip. Décidément, elle était perspicace.

Elle était parfaite. Et elle avait envie de lui, il en mettrait sa main à couper. Tout ce qu'il avait à faire, c'était la convaincre qu'ils pouvaient vivre une aventure magnifique ensemble.

La route frangée d'arbres s'ouvrit sur une grande pelouse qui menait à des murs de quatre mètres qui ceinturaient la propriété.

La maison en elle-même s'élevait en haut d'une butte au milieu de l'immense terrain. À travers les yeux de Beth, James crut découvrir la demeure pour la première fois.

— Depuis combien de temps est-elle dans ta famille ?

— Cette maison appartenait au grand-père de mon père. Il a eu un fils qui a lui-même eu mon père. À son tour, mon père a eu un fils. Je suppose que je vivrai ici quand je serai vieux et fripé.

Elle se mit à rire.

— Tu as l'intention de prendre ta retraite des forces armées ?

— Seulement s'ils me virent d'un coup de pied aux fesses. J'aime mon métier. Au fait, ça me fait penser à un détail : n'oublie pas que mon père est persuadé que je travaille dans un bureau à l'abri du danger.

— Et moi, qu'est-ce que je suis censée être ? J'imagine que tu ne veux pas d'une fiancée des forces spéciales ?

Si. Quoi que mes parents en pensent. Bon sang, mais que lui arrivait-il ?

— Je suppose qu'ici, si tu es comptable, les gens ne posent pas de questions.

Pourvu que ça ne la dérange pas de jouer ce rôle. Si seulement il avait éteint son téléphone ce matin-là, ils seraient allés grimper en falaise à cent soixante kilomètres de là et se seraient épargné cette galère. L'appel de Maisie l'avait mis dans tous ses états. La dernière fois qu'il l'avait vue pleurer, elle devait avoir quatre ans. James gara la voiture derrière la maison où les employés montaient laborieusement un immense chapiteau.

— Nous y voilà.

Après une pause silencieuse, Beth retira finalement sa ceinture de sécurité. Le clic sembla plus sonore que d'habitude, comme s'il marquait la fin d'une trêve. Elle s'apprêta à ouvrir la portière et sentit la main de James sur son épaule.

— Beth.

Elle se retourna.

— Je tiens à m'excuser d'avance pour tout ce qui se passera dans cette maison.

Elle le regarda d'un air perplexe et il s'empressa d'écarter un éventuel malentendu :

— Je veux parler de ma famille. Tu sais, je donnerais n'importe quoi pour aller grimper, soupira-t-il avec un regard en direction des employés affairés sur la pelouse. Merci d'être là pour assurer mes arrières. Tu te sacrifies pour ton équipier, c'est louable. Je te promets de t'emmener grimper pour me racheter.

— Ne t'inquiète pas, le rassura-t-elle en posant une main sur la sienne. Quand le vin est tiré, il faut le boire.

L'expression vieillotte l'amusa.

— Tu es mon ange gardien.

Beth sourit.

— Souviens-toi que j'ai une dette envers toi. Et puis, j'ai des vêtements signés Jimmy Choo, je n'ai pas à me plaindre.

Le moins qu'on puisse dire, c'est qu'elle était bonne joueuse. Ce qui le rendait encore plus amer.

— Bon, d'accord. C'est parti pour un épisode de ton feuilleton.

Il ouvrit la portière et sortit de la voiture, convaincu qu'au moment où il la refermerait une de ses sœurs se précipiterait dehors. Il avait vu juste.

— Tous aux abris ! s'écria Beth.

À peine eut-il le temps de se retourner que Maisie se jeta dans ses bras, les jambes autour de la taille et les mains derrière son cou. Son cri de joie lui fit siffler l'oreille.

— Lâche-moi, la Naine. Je veux te regarder.

Elle redescendit au sol et il la tint par les épaules. Depuis la dernière fois qu'il l'avait vue, il y avait du nouveau : la pointe des cheveux violette et la narine percée d'un anneau. Mais le grand sourire était toujours digne de la Maisie qu'il connaissait.

— C'est bon de te revoir, minus, sourit James.

Elle lui donna un coup de pied au tibia.

— Tu es parti trop longtemps ! Je déteste ton stupide travail ! bougonna-t-elle.

— Ouais, ouais. Je connais la chanson. Je suis là, maintenant. *On* est là.

Il tendit la main à Beth qui fit le tour de la voiture pour la saisir.

— M'en fiche. T'as vu tout ce bazar ? Juste parce que cette idiote de Sadie se marie ! Moi, je ne me marierai jamais.

— Je te comprends, s'amusa James en lui ébouriffant les cheveux. Je te présente Beth. Sois gentille avec elle. Elle vient d'accepter de m'épouser.

Beth fit un pas en avant et tendit la main à Maisie. Cette dernière serra ses doigts brièvement avant de se retourner vers son frère.

— Sadie m'en veut vraiment de t'avoir parlé des e-mails.

Sa mine déconfite fit fondre James.

— Je m'en occupe.

Il sentit un froissement dans sa poche. Maisie la pickpocket à ses heures perdues. Génial.

— Rends-le-moi ou je te coupe les pouces !

La sachant chatouilleuse, il enfonça un doigt dans ses côtes et elle poussa un cri avant de partir se réfugier derrière la voiture, son frère à ses trousses.

— James ? Tu peux m'expliquer où est la salle de bains ? demanda Beth. James plaqua sa petite sœur contre la portière et lança :

— Dans le couloir, prends la porte en face, et la salle de bains sera à l'autre bout du couloir à gauche. Je te rejoins dès que j'ai assassiné ma frangine ici présente.

Leur relation la fit sourire. Elle lui rappelait ses rapports avec Tammer à l'époque où sa sœur avait l'âge de Maisie. En suivant les indications de James, elle monta les grandes marches en pierre jusqu'à l'imposante porte à doubles battants. Dans la maison, elle se retrouva dans ce qu'elle imaginait être une salle de réception avec des canapés et des fauteuils dispersés un peu partout, puis elle trouva la bonne porte.

Dire que la salle de bains était luxueuse serait un euphémisme. Les murs étaient recouverts d'un carrelage bleu marine et les meubles étaient d'un blanc immaculé. Un chandelier ? Sérieusement, qui mettait un chandelier dans ses toilettes ?

Appuyée sur le bord du lavabo, elle examina son reflet dans le miroir. Dommage qu'elle n'ait pas pris le temps d'enfiler l'une de ses récentes acquisitions. Il faut dire qu'après ses activités dans la cabine d'essayage, elle en avait perdu le fil de ses pensées. Elle tira sur son débardeur pour effacer les plis causés par le voyage en voiture et prit une profonde inspiration. C'était un peu comme une aventure, la découverte d'un autre mode de vie. Cette maison dans laquelle James avait grandi était bien plus grande que tous les hôtels que

Beth avait connus. Cela lui procurait un étrange sentiment. Ils avaient des vies opposées. Le cadre militaire efface toute différence de classe, mais une fois sortie de cet univers, Beth se sentait comme un poisson hors de l'eau. En particulier à cet instant.

En renouant lentement sa natte, elle prit la décision de profiter de l'occasion pour remédier à cette situation. Elle s'entraînerait à être une autre, à se fondre dans un contexte. Pourvu que le directeur de la CIA ne la reconnaisse pas. Il ne pouvait pas participer à l'embauche des futurs agents de protection, pas vrai ? Les chances que cela arrive étaient minces. Beth reporta son attention sur sa présence ici avec James, peut-être que cela permettrait de protéger Maisie.

Elle noua un élastique au bout de sa natte et quitta la salle de bains.

— Pouvez-vous m'expliquer ce que vous faites là ?

La voix provenait d'au-dessus. Une femme vêtue d'un tailleur turquoise pâle, les cheveux blond platine serrés en chignon impeccable, descendait le grand escalier. Beth sourit.

— Je vous demande pardon ?

Serait-ce la mère de James ?

— Vous n'êtes pas autorisée à vous rendre dans la partie résidentielle de la maison. Votre salle de bains est en bas près de la cuisine.

La petite dame pointait du doigt la porte au bout du couloir. Habituée à obéir aux ordres sans poser de question, Beth avança en direction du couloir, puis s'arrêta.

— Il me semble que…

— « Oui, madame. » C'est l'unique réponse que je tolérerai d'une bonne. Qui est votre responsable ?

Sa voix était froide et dure comme l'acier.

Beth prit une profonde inspiration. D'instinct, elle voulut s'expliquer, mais prit d'abord une minute pour assimiler le fait qu'elle était sans doute la première femme typée espagnole qui mettait un pied dans cette maison sans faire partie du personnel. Le fouillis de ses pensées la rendit muette.

— Ah, te voilà, lança James en pénétrant dans la salle de réception. Je croyais que tu t'étais perdue, avoua-t-il avant d'esquisser un sourire. Tiens, tu as rencontré ma mère.

— James, mon chéri. Les servants ont leur salle de bains en bas. Seuls les amis et la famille peuvent accéder à cette partie de la maison, tu le sais bien.

Elle remit son chignon parfait en place et tendit la joue à James, mais il ne l'embrassa pas.

Gênant.

— Maman, je te présente Beth. Ma fiancée.

Un bras autour de sa taille, il l'attira contre lui. Beth joua le jeu.

— Ravie de faire votre connaissance, madame Walker. Votre maison est magnifique.

Courage, Beth, ne sois pas gênée. Garde le menton haut.

Il y eut deux ou trois longues secondes de silence interminable avant que la mère ne tende enfin la main, paume vers le bas, comme si c'était à contrecœur.

Beth échangea une solide poignée de main, le regard à peine inquiet. Mme Walker plissa les yeux et jugea l'apparence de la nouvelle venue, puis esquissa un faux sourire et se tourna vers son fils.

— Mon chéri, cela fait beaucoup trop longtemps. Sans le mariage de Sadie, je suis persuadée que nous ne t'aurions pas revu avant Noël. Nous n'aurions pas non plus entendu parler de quelconques fiançailles.

— Bien sûr que si, rétorqua James pour changer de sujet. Où nous as-tu installés ? Je suppose que toutes les chambres à l'étage sont occupées ?

— Pour être franche, nous ne pensions pas te voir ici ce week-end. Sadie nous a expliqué que tu travaillais. Autant te dire que nous nous attendions encore moins à te voir accompagné. Tu t'y prends affreusement mal, James. Je vais devoir revoir tout le plan de table et…

— Excuse-moi pour les changements de dernière minute mais tu sais que tu n'auras rien à faire si ce n'est prévenir l'organisateur de mariage.

Mme Walker marqua une pause avant d'intercepter une femme habillée de gris avec un tablier qui sortait justement de la porte indiquée à Beth tout à l'heure.

— Gracie ? Changement de plan. James et hum… *Beth* dormiront dans l'annexe près de la piscine. Prenez les dispositions nécessaires, vous serez gentille. M. et Mme Walker senior dormiront donc dans la chambre bleue.

— Entendu, madame.

Sur ces mots, la jeune femme fit demi-tour et repartit par où elle était venue. Le mécanisme de cette demeure semblait parfaitement huilé et Beth avait le sentiment d'être le grain de sable qui pouvait tout enrayer.

— Ainsi, tu auras plus d'intimité, mon chéri.

Mme Walker prit son fils par le bras et l'accompagna hors de la pièce. Beth leur emboîta le pas et retrouva les marches de pierre sur le perron. Elle se sentit soudain mise à l'écart et aurait pu en être agacée. *Mais Beth la fausse fiancée ne le prend pas mal,* se persuada-t-elle. *Elle est bien plus douce et avenante que la bonne vieille Beth. Beth la fausse fiancée sourit et suit le mouvement.*

— Défais tes valises, mets-toi à l'aise. Je t'envoie Sadie dès qu'elle aura terminé d'emballer les cadeaux des demoiselles d'honneur, l'informa sa mère en les pressant jusqu'à la voiture en bas des marches.

Ils montèrent tous les deux à bord et Beth mit sa ceinture en regardant Mme Walker rentrer dans la maison, puis elle se tourna vers James.

— Waouh.

Avec une grimace, il se montra confus mais elle s'empressa de balayer ses craintes.

— Je suis la fausse fiancée. Celle qui se fiche de tout ça, qui veut se marier avec toi et pas avec tes parents. Elle trouve tout ça très amusant, ajouta-t-elle avec un grand sourire. Accroche ta ceinture, la soirée risque d'être mouvementée.

— Et mince, soupira James d'un ton amusé. Je ne saurais dire si ta présence rendra le week-end terriblement amusant ou cauchemardesque.

— Je pencherais pour la deuxième solution, répondit-elle avec un rictus.

Dès qu'ils eurent négocié le premier virage, son humeur taquine la quitta d'un coup. Beth n'eut d'yeux que pour l'extraordinaire annexe qui apparaissait devant eux. Elle s'attendait à une petite dépendance en fond de jardin transformée en chambre pour d'éventuels invités. Rien à voir. L'annexe était bien plus grande que sa propre maison en Caroline du Nord.

La piscine était construite selon l'architecture d'un spa romain. Des colonnes étaient dressées de chaque côté du bassin et donnaient une impression de vestige de temple romain tombé en ruine. Entre chacune d'elles étaient installées des chaises longues et leurs coussins à l'ombre des traverses. *Oh bon sang!*

Conçue dans l'esprit d'une tente bédouine, l'annexe dominait la piscine. Le toit ondulant était assez haut pour permettre aux grandes baies vitrées d'ouvrir largement la vue sur le bassin.

Le temps que James fasse le tour pour garer la voiture sur le côté de la dépendance, la vue fut obstruée par de grands arbres. Le moteur à peine éteint, Beth sauta du véhicule et s'empressa de contourner la piscine. Les baies vitrées renfermaient en réalité une autre rangée de portes-fenêtres invisibles. Beth en ouvrit une et pénétra dans l'une des pièces les plus luxueuses qu'elle ait jamais vues.

D'imposants canapés et autres chaises longues, avec chacun une pile de draps et de serviettes propres à ses pieds, étaient tournés vers la piscine. De grands rideaux tombaient en cascade depuis le plafond et apportaient la même atmosphère bédouine qu'à l'extérieur.

Dans le petit coin cuisine trônait une immense cave à vin remplie, et au fond une ouverture en arche donnait sur la chambre. Il y avait beaucoup d'ombre et la température y était fraîche. Les draperies pendues au plafond donnaient un sentiment d'isolement, de sécurité et d'intimité. La jeune femme avait l'impression de se trouver dans un harem.

James l'appela depuis le pas de la porte.

— Alors, cela vous convient, madame ?

— Méfie-toi, tu ne pourras plus me faire repartir ! s'exclama-t-elle, les yeux ronds.

— J'ai mis tes valises ici. Le placard est à gauche dans la chambre.

Elle balaya la pièce du regard. Les seuls meubles de la chambre étaient le lit et les deux tables de chevet. Il n'y avait rien d'autre. Elle ouvrit les persiennes qui cachaient le placard. Une lumière s'alluma automatiquement. C'était en réalité un dressing avec des étagères en bois brut pour les chaussures et une penderie aux cintres rembourrés. Waouh. Heureusement qu'ils avaient marqué un arrêt shopping, car Beth avait la sensation que le dressing aurait rejeté ses vêtements classiques par un système d'éjection automatisé.

— James, c'est incroyable. Je n'arrive pas à croire que quelqu'un que je connais vit dans un tel environnement.

— *Vivait* dans un tel environnement, rectifia James en jetant son propre sac de vêtements par terre dans le dressing.

— En tout cas, c'est magnifique. Ma dette n'est pas si difficile à rembourser, finalement.

— Maintenant, c'est moi qui ai l'impression de te devoir quelque chose. Après ce que ma mère…

Beth éclata de rire.

— Au contraire, c'était divin ! Je n'aurais manqué la scène pour rien au monde. En revanche, tu devras lui en parler tôt ou tard. Imagine le jour où tu ramènes une vraie fiancée : si on avait vraiment été ensemble, j'aurais pu fuir en courant.

— Sans blague.

— Mais voilà qu'on découvre ce coin de paradis, soupira-t-elle en faisant courir ses doigts sur le coussin en soie d'une chaise longue. Une vraie fiancée serait peut-être restée, finalement, ne serait-ce que pour goûter à tout ça.

Elle lui fit un clin d'œil.

— Quelque chose me dit que tu n'es pas si facile à impressionner, rétorqua-t-il en souriant, puis il ouvrit le col de sa chemise. Tu veux te baigner ?

— Nous avons assez de temps ?

Beth se tourna vers les sacs de courses en se demandant où était son nouveau maillot blanc.

— Quelque chose nous attend sûrement ce soir, mais vu tout le chantier qui se prépare, autant faire profil bas.

— Tu n'auras pas à me le dire deux fois. J'ai juste besoin de retrouver mon maillot.

— OK, je vais me changer, on se retrouve dehors.

Il disparut dans ce qui semblait être une salle de bains en marbre. Beth regarda autour d'elle et se laissa tomber sur le lit. C'était comme flotter sur un nuage. Un matelas à coussinets, quel délice.

Le regard perdu vers les longs pans de tissu à la couleur dégradée, elle se demanda quelle personne elle deviendrait si elle se mariait vraiment à James, si elle intégrait cette vie de servants et de bonnes sous les ordres des maîtres. Serait-elle différente ?

Ah ah, jamais de la vie !

Chapitre 7

En sortant de la salle de bains, James se figea lorsqu'il aperçut du coin de l'œil la silhouette de Beth allongée sur le lit, bras et jambes écartés. Il eut une seconde d'hésitation, bien qu'elle soit habillée et vraisemblablement occupée à penser à autre chose.

Il desserra la ficelle de son short de bain et s'efforça de penser au baseball et à une liste de présidents américains. En partant du plus récent. Mais non, ses yeux refusaient de la quitter. Il avait envie d'elle, c'en était insupportable. Depuis qu'il avait fait l'expérience de la douceur de ses lèvres et de la réaction langoureuse de son corps à ses caresses, il ne pensait qu'à une chose : recommencer.

Ramenant son attention vers la pièce à vivre, il décida que s'il ne pouvait pas la séduire ici, il ne la séduirait jamais.

Il sortit et plongea dans l'eau claire. Le bruit indiquerait à Beth que la salle de bains était libre. James fit quelques longueurs, comptant les respirations et les brassées. Son esprit devait se vider de tout et ne garder que la sensation de ses muscles fendant l'eau. Cela fonctionna quelques minutes, mais petit à petit son inquiétude grandit au sujet des e-mails, de Maisie et de Sadie. Il ne put penser à rien d'autre. Pourquoi cette personne les menaçait-elle ? Où avait-elle trouvé leurs adresses ? La famille étant experte en termes de sécurité, James trouvait étrange que ce soit possible.

Il termina sa longueur et sortit la tête de l'eau au moment où Beth approchait.

Oh, putain. Obama, Bush, Clinton, Bush, Reagan…

Le maillot de bain blanc épousait parfaitement chacune de ses formes. Elle ressemblait à une star hollywoodienne des années cinquante avec ses cheveux noués sur le sommet du crâne et ses yeux cachés derrière de grandes lunettes noires.

— Je ne savais pas que tu pouvais retenir ton souffle aussi longtemps, soldat, ronronna-t-elle dans son fantasme.

La voix de Beth n'avait pas changé mais il ne put s'empêcher d'insuffler une part de son fantasme à sa perception de la réalité.

Bush, Reagan, Carter, Ford, Nixon.

Beth retira ses lunettes et les posa sur l'une des chaises longues installées près de la porte. Les pieds sur les dalles de béton au bord de l'eau, elle agita les orteils dans le vide. James sortit les bras de l'eau pour se tenir au bord et la vit tremper un orteil avant de faire un plongeon parfait.

Le temps de la voir remonter à la surface, il ne put effacer de sa mémoire l'image de ses fesses au moment où elles touchaient l'eau. *Mince*. Pourquoi était-il excité par sa force, par ses capacités dans de nombreux domaines ? Ces dix dernières années, il n'avait été attiré que par de frêles et fragiles jeunes femmes dont il fallait prendre soin. Pourquoi était-il séduit par Beth ? Les trois jours à venir seraient placés sous le signe de l'érection imperturbable. Un délicieux enfer.

Après un demi-tour professionnel à l'autre bout de la piscine, Beth s'approcha en dos crawlé puis s'arrêta net et se laissa flotter. Tout près de lui. L'élan la rapprochait encore comme une scène de collision filmée au ralenti. James voyait bien qu'elle allait finir par le toucher mais il fut incapable de s'écarter assez vite. Il voulut tendre un bras mais ne sut quelle serait la partie de son corps la plus appropriée pour la repousser doucement.

Il choisit l'épaule et approcha la main pour stopper Beth dans sa trajectoire, mais celle-ci donna un petit coup de pied dans l'eau, ce qui la fit à peine accélérer. Il savait ce qui arriverait.

Et oui, sa main atterrit pile sur son sein.

Elle ne tressaillit pas, ne releva pas la tête, mais dit simplement :

— C'est un peu précipité, non ?

Puis elle l'éclaboussa en stoppant son approche. James retira vivement sa main.

— Je visais ton épaule mais tu as bougé au dernier moment.

Même s'il se cherchait des excuses, il ne put contenir le grand sourire qui étira ses lèvres. Beth émit un petit rire.

— Heureusement que tu visais mieux en Afghanistan, sinon aucun de nous ne serait là aujourd'hui pour me toucher la poitrine.

Une image d'elle se touchant le sein apparut dans l'esprit sournois de James. Au diable les présidents !

— Ce serait un crime d'empêcher l'un ou l'autre de la toucher, assuma-t-il en repensant à l'expression qu'elle avait utilisée, car effectivement, une fois le vin tiré, il fallait le boire. Ce soir-là, avant que tu ne te laisses bêtement toucher par balle, tu t'es baissée pour récupérer ton calibre 50. J'ai aperçu ton soutien-gorge. Je n'oublierai jamais cet instant. Plus tard, quand j'ai découpé ton pantalon, j'ai remarqué que la culotte était assortie et il m'a fallu toute la volonté du monde pour garder les idées claires et te sauver la vie. C'est vrai, pendant une seconde, ça aurait pu basculer.

— Vraiment ? Ça aurait pu basculer ?

Beth quitta sa position de flottaison et se mit debout dans l'eau, puis, brassant de chaque côté, elle se rapprocha dangereusement. Elle saisit la main de James et la plongea sous l'eau, contre sa taille, puis sa hanche. Plus bas encore, il sentit le tissu de son maillot et lorsqu'il toucha directement la peau de sa cuisse, il déglutit. Ce fut une épreuve de ne pas presser les doigts contre elle, de ne pas les glisser dans le bas de son maillot pour y trouver sa chaleur.

Au lieu de cela, Beth le guida pour frôler sa cicatrice. Elle était douce bien qu'irrégulière. En un instant, il se remémora la scène où il avait failli la perdre, où il avait surmonté sa peur pour guider les secours et la ramener en lieu sûr. Une émotion nouvelle s'empara de ses sens et domina le simple désir qu'il éprouvait pour elle. Il glissa une main derrière sa nuque et l'attira contre lui.

Ses lèvres étaient douces et cédèrent aussitôt. De sa main libre, elle saisit James par la taille. Un frisson électrique le parcourut. Il n'existait rien de plus sexy qu'une femme qui prend ce qu'elle désire. Rien.

Dans sa bouche entrouverte, il hasarda sa langue curieuse. Ce besoin de la saisir, de la savourer, de la protéger était bien trop fort pour être réprimé. Il l'embrassait comme si ses lèvres la ramenaient à la vie, lui insufflaient un nouveau souffle.

Ils se retrouvèrent sous l'eau, mêlant leurs corps brûlants. James amena la jeune femme contre le bord de la piscine et ils remontèrent pour reprendre leur souffle. Il la maintint contre la paroi sans cesser de la dévorer d'un long baiser, puis s'écarta seulement le temps de mordiller la peau humide de son cou.

Elle frissonna comme s'il la ramenait effectivement à la vie.

— On ne devrait pas, murmura-t-elle.

La vibration de sa gorge indiqua à James qu'elle venait de parler.

— Mmh ? fit-il, les lèvres toujours dans son cou.

— On ne devrait pas, répéta-t-elle cette fois plus clairement.

James s'écarta afin de trouver le meilleur moyen de la convaincre, mais il entendit seulement son père.

— En effet, vous ne devriez pas, dit-il.

La proximité de la voix fit sursauter Beth. James la retourna pour qu'elle s'accroche au bord de la piscine, puis il se tourna vers son père.

— Papa. Ça fait plaisir de te voir.

— Bon sang, fiston. Combien de fois t'ai-je surpris avec une jeune femme dans cette piscine ? Tu n'es pas un peu vieux pour ça ?

Elle le pinça à la fesse. James fit un bond en grimaçant.

— Ce n'est pas arrivé si souvent, se justifia-t-il auprès d'elle. Je te jure, c'était même rare.

— Quoi qu'il en soit, reprit le père, je suis quasiment certain que tu es trop vieux pour ce genre de flirt.

— Papa, je te présente…

— Beth, monsieur. Ravie de faire votre connaissance.

Le père s'accroupit et serra la main mouillée qu'elle lui tendait, puis posa son autre main sur la tête de son fils et le fit couler comme il le faisait chaque jour de l'été dans son enfance. Tous les jours en revenant du travail, il venait le sortir de la piscine pour l'heure du dîner et en profitait pour lui mettre la tête sous l'eau. James reprit son souffle tandis que son père émettait un rire sonore accompagné de celui de Beth que la scène semblait amuser. Mince, il était fichu.

— Ta mère et moi devons assister à une cérémonie ce soir. On ne te verra donc pas avant demain matin. Ça fait plaisir de te revoir, James. Nous aurons plus tard l'occasion de nous présenter en bonne et due forme, Beth.

D'un hochement de tête, il accueillit le sourire qu'elle lui adressa et tourna les talons.

Une fois qu'il fut hors de leur champ de vision, Beth sortit de l'eau.

— Où tu vas ? lui demanda James.

— Je crois que j'ai oublié ma dignité quelque part dans le placard. Je vais voir si je peux la retrouver.

— Attends ! Est-ce que ça va ?

Il se précipita à son tour hors de l'eau pour la rattraper, encore étourdi par leur étreinte et les émotions qui en avaient découlé.

Beth s'arrêta et se retourna. Ses tétons pointaient sous son maillot. La pointe parfaite de seins parfaits. Saisi d'une vague de chaleur, il fantasma de les prendre entre ses dents. Bon sang, il ferait mieux de se trouver de l'anti-Viagra.

Elle lui sourit.

— Rassure-toi, je vais seulement prendre une douche. Oublions ça, encore une fois.

Elle désigna vaguement l'espace qui les séparait.

— Tu vas adorer la douche, lui lança James.

Vivement l'arrivée des invités pour qu'ils incarnent leurs personnages, se dit James. Ainsi, il pourrait la toucher en toute impunité.

Décidément, il s'était transformé en salaud machiavélique.

Beth enfila un peignoir pour ne pas mouiller ses nouveaux vêtements qu'elle accrocha aux cintres. Elle était tellement excitée qu'elle se sentait presque vibrer.

Elle avait envie de lui, mais ce qu'elle lisait dans le regard de James lui faisait peur. La flamme qu'elle y voyait parlait d'une intimité qui allait au-delà de l'attirance physique, une intimité émotionnelle. Il fallait mettre les choses au clair : du sexe uniquement. Voilà ce qu'elle savait maîtriser, apprécier, comprendre, regretter. En dehors du sexe, tout n'était qu'un enchevêtrement de complications inutiles qui finirait par les dévaster. Pourtant, elle soupçonnait James de vouloir plus qu'une simple histoire de fesses.

Elle devait se concentrer sur sa mission : jouer à la fiancée et protéger Maisie. Rien de plus. Oublier le magnétisme physique qui l'attirait à James. Elle poussa un soupir. Pourquoi les choses étaient-elles toujours si compliquées ? Ce dont elle avait besoin, c'était d'une douche bien froide.

James avait raison : la salle de bains était incroyable. Les carrelages étaient en marbre couleur chocolat, il y avait une double vasque, une baignoire sur pieds et un W.-C. Derrière des portes vitrées, la douche était installée dehors, entourée de panneaux de bois occultants.

Elle défit son chignon et fit couler l'eau au-dessus de sa tête. La brise légère et le froissement des feuilles n'arrangeaient rien à son excitation. Le vent lui caressait la peau, en particulier ses seins nus. Elle fit courir sur elle ses mains couvertes de savon comme le ferait un amant. Juste une seconde. D'un côté, elle voulait répondre à ce désir pour ne plus se conduire comme une adolescente dès qu'elle s'approchait de lui. Mais d'un autre côté, elle savait qu'une seule fois avec lui déclencherait un appétit insatiable.

Elle mit de l'eau plus froide pour se laver les cheveux.

Arrête ça tout de suite.

Elle rentra dans la maison où elle se sécha les cheveux et enfila un peignoir. Lorsqu'elle se vit dans le miroir, elle éclata de rire. Son attirail n'avait rien de sexy. Parfait.

James était toujours dans le bain de soleil. Elle le poussa du bout du pied.

— Alors, tu es propre ? lança-t-il sans ouvrir les yeux.

— Je n'étais pas si sale, tout à l'heure, rétorqua-t-elle.

Il se mit à rire et se redressa.

— Je ne m'aventurerai pas sur ce terrain.

— Sage décision, concéda Beth en prenant place à une table, puis elle posa les pieds sur une chaise voisine. J'allais m'habiller mais je ne sais pas ce qu'on a prévu ce soir.

— Sadie ne devrait pas tarder. Je pense qu'on ira dans un bar en ville, supposa James en regardant sa montre. On a environ une heure pour se préparer. Tu n'as besoin de rien ? Je peux aller prendre une douche ?

— Bien sûr, de quoi aurais-je besoin ? s'étonna Beth.

— De rien. Je reviens tout de suite.

Il se leva d'un bond et disparut dans la maison.

Beth desserra la serviette autour de sa tête et laissa tomber des mèches de cheveux mouillés sur ses épaules. Elle tourna la chaise en direction du soleil et s'installa confortablement.

De l'autre côté de la maison, elle entendit le bruit de la douche en plein air et s'efforça de ne pas penser à James et à son corps nu sous le jet d'eau, mais c'était dur, très dur. D'ailleurs, elle se demanda si lui aussi était dur. *Arrête !* Elle serra les poings dans les poches du peignoir pour empêcher ses mains de se promener où elles ne devraient pas. Le bruit de l'eau laissait penser qu'il se retournait sous la douche et levait le visage sous le jet...

— Excusez-moi ?

La voix provenait de l'autre côté de la piscine.

Beth se redressa et tourna la tête. Une femme plus âgée que Maisie et James. Soit une bonne, soit une autre Harriet, soit Sadie.

— Je suis Sadie.

Elle était grande et aucun doute, c'était une Walker. Ses cheveux bruns étaient coupés court et elle portait un pantalon blanc et un élégant haut noir à col bateau.

Beth sauta sur ses pieds.

— Sadie, bien sûr. Ravie de vous rencontrer. Je m'appelle Beth.

Sadie se mit à rire.

— Je n'arrive pas à croire que vous existiez vraiment. On vient de m'apprendre que James arrivait avec une fiancée, je croyais à un mirage. Pourtant, vous êtes là. J'avais hâte de vous rencontrer. Je suis heureuse que vous ayez pu venir, tous les deux. Quand j'ai envoyé son invitation à James, c'était seulement pour faire plaisir à maman. Je savais qu'il ne viendrait pas. Mais vous êtes là !

Le regard de Sadie se posa sur la chaise à côté de Beth, puis sur la cuisine à l'intérieur de l'annexe.

— Ça ne vous dérange pas si…

Beth suivit son regard jusqu'à l'imposante cave à vin électrique.

— Oh non, au contraire. Servez-vous.

— Vous m'accompagnez ? Rouge ou blanc ? demanda Sadie en ouvrant le frigo.

— Blanc, s'il vous plaît.

Sadie revint avec deux verres, une bouteille et un seau à glace. Décidément, il ne manquait rien. Elle s'assit à côté de Beth, face à la piscine, et jeta un coup d'œil à la petite maison en faisant la grimace.

— Comme vous avez dû vous en apercevoir, on perd le contrôle de la situation. Mes parents tout crachés. On devait être cinquante dans une petite église de Bethesda, nous voilà au milieu d'un immense cirque.

— Je suis sûre que ce sera un très beau mariage.

— J'aimerais être déjà dimanche. Je serai partie en lune de miel et tout ce bazar sera derrière moi.

La transition était idéale pour aborder le sujet des e-mails, mais Beth n'était pas assez à l'aise pour aborder ce sujet. Elle aurait aimé que James soit sorti de la douche.

Beth but une longue gorgée de vin frais.

— Où partez-vous en voyage ?

— Oh mon Dieu : Turques-et-Caïques, une île privée. J'ai tellement hâte ! Simon et moi, seuls sur une plage privée, occupés à des activités parfaitement indécentes, résuma Sadie avant de siroter à son tour une longue gorgée de vin. J'imagine que mes parents le prendraient mal si on s'éclipsait maintenant.

Elle regarda en direction de la grande demeure cachée par l'épais bosquet d'arbres.

Beth s'adossa sur sa chaise et porta son verre à ses lèvres.

— Filez, je ne dirai rien. Prenez l'Audi.

— Non, elle ne filera pas avec l'Audi ! C'est mon bébé ! s'insurgea James qui apparut à la porte de l'annexe.

Il portait un treillis coupé en short. Et rien d'autre. Beth remarqua pour la première fois ses deux tatouages. Le plus petit sur la hanche du côté gauche, et l'autre plus haut, légèrement sur la droite. Elle avait une envie folle de se précipiter pour les regarder de plus près mais cela paraîtrait suspect : elle était censée connaître son corps par cœur.

Sadie s'empressa de prendre son frère dans ses bras.

— Je suis si heureuse que tu sois venu.

— On ne dirait pas : vous maniganciez une échappée clandestine, et sans moi ! Je ne te manquais pas tant que ça.

— Bien sûr que si, seulement… C'est de la folie, ici. Tu sais comment sont papa et maman, en particulier quand personne n'est là pour détourner leur attention. Même Maisie n'a rien fait d'extraordinaire ces derniers temps.

James chassa une mèche de cheveux du visage de sa sœur.

— Tout ira bien. On va passer une excellente soirée, le mariage se déroulera sans accroc et tu en savoureras chaque instant. Je te le promets.

Après une dernière gorgée de vin, Sadie se releva.

— Je te prends au mot. Bref, ce soir on part en ville boire un verre au *JibJab*. On se dit vers 20 heures ?

— Compte sur nous. Tu veux bien me parler des e-mails, maintenant ?

Les épaules tombantes, Sadie se laissa choir sur la chaise.

— Non ?

— Je ne te laisse pas le choix. Cette histoire a tellement choqué Maisie qu'elle pleurait au téléphone.

Un voile d'inquiétude assombrit le visage de la grande sœur.

— Je l'ignorais. Elle ne m'a pas montré qu'elle avait peur, soupira-t-elle en posant une main sur le bras de James. C'est réglé. J'en ai parlé aux collègues de papa, ils sont sur le coup.

— Quand est-ce que tu leur as dit ? s'enquit son frère en retirant sa main pour s'adosser et croiser les bras.

— Il y a quelques mois.

— Les e-mails se sont arrêtés ?

— Non. C'est Maisie qui a commencé à les recevoir, admit Sadie, puis elle soupira d'un air résigné. Au début, ça n'avait l'air de rien. Je ne reconnaissais pas l'adresse de l'e-mail, mais puisque je ne connais pas la moitié de celles des invités au mariage, ça ne m'a pas affolée. J'ai répondu par politesse en donnant des informations comme le *dress code* du repas de répétition, ce genre de choses. Et puis, les messages sont devenus personnels. Il me demandait si j'étais sûre de vouloir me marier, si je connaissais vraiment mon fiancé, il me disait que des rumeurs circulaient selon lesquelles Simon m'aurait manipulée pour que je l'épouse. Ce n'était que des idioties. J'ai demandé à des proches s'ils reconnaissaient l'adresse, en vain. Alors, j'en ai parlé aux collègues de papa et ils m'ont dit qu'ils ouvraient l'enquête, mais tu sais comment ils sont. Pour eux, ce n'est pas une priorité. Pour l'instant, ils ont seulement découvert que la personne s'est connectée dans des cafés ou des lieux publics avec le Wi-Fi. À moins de mettre tous ces lieux sous surveillance, ils ne peuvent pas faire grand-chose. Sans compter le contenu des e-mails qui ne comporte aucune menace évidente. Ils m'ont seulement conseillé de n'en parler à personne.

Elle but un peu de vin.

— Mais ça continue, et Maisie en reçoit aussi. Elle ne sait pas que les collègues de papa s'en occupent, alors je lui ai fait promettre de ne rien dire à personne. À ce que je vois, elle obéit moins facilement aux ordres que moi.

Elle esquissa un sourire timide et Beth se demanda si elle parlait des ordres des agents de la CIA ou de son fiancé. En tout cas, ce n'était pas en rapport avec les e-mails.

James posa les coudes sur ses genoux.

— Ce matin, Maisie en a reçu un qui laissait penser que vous étiez suivies le jour où vous avez acheté sa robe de demoiselle d'honneur. Tu étais au courant ?

— Mon Dieu ! Non, je ne savais pas. Suivies ?

Sadie se frotta le bras comme si elle avait eu un frisson.

— Écoute, reprit son frère. Ce week-end, on reste groupés. Maisie et toi ne devez pas quitter la propriété seules. Attendons que le mariage soit passé, et s'il continue de vous harceler, on en parlera sérieusement à papa. D'accord ?

— D'accord.

Elle se leva de sa chaise et finit son verre.

Beth et James se levèrent à leur tour et Sadie prit son frère dans ses bras.

— Je suis contente de te revoir, minus. On se retrouve tout à l'heure. Enchantée de vous connaître, Beth.

— C'est réciproque. Merci pour le vin. À plus tard, répondit-elle en levant son verre.

Dès que la sœur eut disparu, Beth se tourna vers James.

— Minus ? J'aime bien ce surnom.

James chaussa ses lunettes de soleil, s'assit sur la chaise laissée par Sadie et remplit son verre de vin.

— Appelle-moi comme tu voudras, chérie.

— Que penses-tu de ces e-mails ? s'enquit-elle en sirotant sa boisson.

— Difficile à dire tant que je ne les ai pas lus. Sadie était une briseuse de cœurs quand elle était plus jeune. Ce pourrait être un ex, ou ça peut viser Simon, ou encore mon père. Difficile à dire. J'en parlerai à Simon ce soir.

Beth acquiesça avant de changer de sujet.

— OK. Maintenant, fais-moi voir tes tatouages. Je ne les avais jamais remarqués.

Il s'étira sur la chaise pour la laisser regarder. En réalité, il s'agissait d'impacts de balles noirs et gris qui faisaient penser à ces autocollants que certains collent sur leur ordinateur. Elle promena les doigts sur l'une d'elles : la sensation était la même que celle de sa cicatrice à la cuisse. Puis elle caressa l'autre avant de se redresser. Dommage qu'elle ne puisse pas voir la réaction de James derrière ses lunettes de soleil.

Il avait pris un tel risque en la sauvant, Beth eut un frisson.

— On t'a tiré dessus, toi aussi ? *Deux* fois ?

James acquiesça.

— Oui, deux missions différentes.

— Waouh. À croire que tu es vraiment malchanceux.

Heureusement qu'il n'avait pas été touché en lui sauvant la vie. Heureusement…

— C'était avant ton arrivée. Ce jour-là en Afghanistan, j'ai vraiment cru que la troisième serait la bonne mais tu as tué ce salaud avant de t'évanouir. Le secouriste a mis un moment avant de t'arracher ton arme des mains lorsqu'il t'a portée dans l'hélicoptère. Tu étais dans le coma mais tu t'agrippais au pistolet comme si c'était un bébé. D'une certaine manière, on s'est mutuellement sauvé la vie.

— Oh, tu admets donc que toi aussi tu me dois une fière chandelle ?

— Ah non ! Mais bien essayé.

— Je n'arrive pas à croire que tu aies été touché deux fois. Malgré ça, tes parents sont toujours persuadés que tu travailles derrière un bureau ?

— Seule Sadie est au courant de mon vrai job. Sache-le, c'est ma personne de confiance à prévenir en cas d'accident. Je ne peux pas me mettre torse nu devant mes parents, mais de toute manière, l'occasion se présente rarement. À moins, bien sûr, qu'ils me surprennent avec une fille dans la piscine.

Il but un peu de vin.

— À t'écouter, on croirait que ça arrive souvent, murmura Beth en lui tendant son verre pour qu'il la resserve.

— Quand j'étais jeune, c'est vrai. En même temps, quel adolescent ne profiterait pas d'un tel lieu ?

— J'avoue, admit Beth en trinquant.

En savourant sa boisson, elle imagina James adolescent, occupé à embrasser de jeunes filles dans cette piscine. Elle sourit.

— C'est quoi le *JibJab* ?

— Un bar à Washington D.C. Sadie a un côté nostalgique. Dès qu'on a été capables de falsifier des pièces d'identité, on y a passé de nombreuses soirées, raconta James avec un sourire en repensant à leurs exploits. C'est un joli bar sur les toits, il donne sur le centre commercial. Pendant dix ans, il a été fermé pour des raisons d'insécurité. Ils l'ont rouvert il y a quelques années. Ce sera amusant de retrouver nos habitudes là-bas.

— Sadie a parlé de *dress code*.

— Oui, c'est un bar huppé.

— On ne sera que tous les quatre ? Sadie, Simon, toi et moi ?

Au fond d'elle, elle espérait passer le moins de temps possible avec le directeur Walker ou avec quiconque pourrait lui rapporter des informations compromettant sa carrière. Il ne devait ni se souvenir d'elle, si apprendre à la connaître. Ce week-end, elle se fondrait dans le décor.

— Oui, je suppose. À moins qu'ils n'invitent des amis, mais j'en doute. Ils ne vivent plus ici et les proches seront là demain pour le dîner de répétition. Ensuite, le reste des invités arrivera pour la cérémonie et la réception de samedi.

Tout en parlant, il fit tourner le vin dans son verre et se concentra comme pour une expérience chimique.

Beth passa en revue les vêtements achetés pour l'occasion et décida qu'elle porterait le pantalon fluide noir échancré jusqu'au genou et le chemisier portefeuille en coton blanc. Dommage qu'elle n'ait pas pensé à apporter une paire de ciseaux, elle aurait coupé la pointe de ses cheveux. Elle en trouverait peut-être dans l'annexe. Après tout, elle semblait bien équipée.

James pourrait l'aider. Elle ferma les yeux et l'imagina toucher ses cheveux. Oui, excellente idée.

Elle se leva.

— Je vais chercher des ciseaux et me préparer.

— Dans le tiroir de la cuisine, répondit-il.

Lorsque James quitta la piscine pour rentrer dans l'annexe, le soleil avait disparu derrière les arbres. La lumière de la chambre était allumée, il rejoignit donc le dressing où il avait laissé son sac avec le costume acheté à Nordstrom qu'il accrocha soigneusement sur un cintre face aux nouveaux vêtements de Beth. Sa valise était restée ouverte par terre et il s'en dégageait le parfum poivré qui embaumait la petite pièce.

Il toucha les différentes matières, soie, cachemire, coton, lin, et se les imagina épousant parfaitement les formes de Beth, frôlant sa peau douce. À certains endroits, ils seraient assez amples pour laisser entrevoir son sous-vêtement. James fit un pas en arrière. Pourquoi se torturait-il l'esprit ? Cela ne lui ressemblait pas. Il se consacrait à un métier exclusivement masculin et n'était pas sorti avec une femme depuis près d'un an. Il n'avait pas non plus rencontré d'élue susceptible de l'intéresser. À présent, voilà qu'il se comportait comme un adolescent en proie à une montée d'hormones devant la valise de Beth. Il ne se reconnaissait pas.

Reprenant ses esprits, il prit une poignée de chaussettes noires pour les ranger dans un tiroir. La vision de couleurs scintillantes le stoppa net dans son élan. De tous les tiroirs du dressing, il avait ouvert celui où étaient rangés les sous-vêtements de la jeune femme. La tentation était insoutenable, il hésita à jouer les types obscènes et à toucher les tissus soyeux. Au lieu de cela, il se ressaisit et referma brusquement le trésor défendu comme s'il était infesté de serpents à sonnette. Il rangea ses chaussettes dans le tiroir du dessous et entendit que Beth était sortie de la salle de bains.

— Tu as trouvé les ciseaux ? lança James en pénétrant dans la pièce à vivre.

Il se figea devant le spectacle qui s'offrait à lui. Elle lui tournait le dos et fouillait dans un tiroir. Son pantalon noir allongeait ses jambes de mannequin, était serré à la taille et aux cuisses, puis évasé jusqu'au sol. Elle changea de pied d'appui en continuant ses recherches. James aperçut sa jambe à travers la fente qui lui remontait jusqu'à la cuisse. Oh bon Dieu. Qui avait eu l'idée de dessiner des pantalons échancrés ? L'objectif était forcément de le rendre fou.

— Pas encore. Je cherche au bon endroit ?

Beth se retourna, la mine découragée. Heureusement que la luminosité s'atténuait en ce début de soirée, car James cligna doucement des yeux devant le chemisier blanc qui enlaçait le haut du corps de la jeune femme comme devraient le faire ses bras à lui.

Il ne tiendrait jamais toute la soirée.

— Ils devraient être là. Je ne suis pas venu depuis longtemps. Il y en a peut-être avec les couteaux de cuisine près de la gazinière.

Il s'approcha, pieds nus sur le carrelage du coin cuisine. Un sentiment étrange lui fit prendre conscience qu'elle était habillée alors qu'il était toujours torse nu.

Elle tourna sur elle-même pour trouver le tiroir à couteaux et les pans de son vêtement noir frôlèrent la cuisse de son autre jambe, la laissant apparaître sous le regard de James. Il avait la sensation d'être dans un monde parallèle, une réalité alternative où il serait tout près d'une star de cinéma, une femme inaccessible qu'il fantasmait dans toutes les situations. Seulement, Beth n'était pas si inaccessible. Il attendrait le moment idéal pour faire le premier pas. Si ce moment se présentait un jour.

Il avait besoin d'une bière.

— Ah ! J'ai trouvé, s'écria victorieusement Beth en brandissant son trophée.

Avec un sourire en coin, James se servit une bière dans le frigo. Un jour, il avait rangé un pack dans la cave à vin et avait découvert à ses dépens que la température idéale du vin n'apportait rien de bon à la bière.

Il retira la capsule et s'adossa à l'îlot central.

— Au fait, tu es magnifique.

— Oh, avec ce truc ? fit Beth en tournant encore sur elle-même avec un petit rire. J'ai gardé les étiquettes pour qu'on puisse tout rendre au magasin.

— On ne rendra rien du tout, Beth. Je t'offre ces vêtements pour te remercier d'être venue jusqu'ici alors qu'on aurait dû partir grimper. Ah oui, et pour m'excuser du racisme écœurant de ma mère.

Elle fronça les sourcils.

— On reparlera des vêtements plus tard. Pour l'instant, je vais essayer de les garder aussi propres que possible. Est-ce que tu peux m'aider ?

Elle lui tendit les ciseaux. James reposa sa bière.

— Bien sûr. Qu'est-ce que je dois faire ?

— Couper un centimètre.

En retirant les épingles de ses cheveux, la jeune femme lui tourna le dos. À peine libérée, sa crinière tomba en cascade sur ses épaules, sa taille, et s'arrêta au bas du dos.

— Impressionnant ! Je n'ai jamais vu de tignasse aussi longue.

C'était plus fort que lui, il glissa les doigts dans les longues mèches chauffées par le soleil ou le sèche-cheveux ou Dieu sait quoi.

Beth lui tendit une brosse par-dessus l'épaule.

— Tu peux couper les pointes ? Je n'ai pas pensé à le faire avant d'aller grimper parce que je pensais garder les cheveux attachés, mais ces vêtements me rappellent que j'ai besoin de rafraîchir tout ça. Ça ne te dérange pas ?

— Pas du tout, mais je ne vois rien à rafraîchir, admit James en brossant toute la longueur, puis il dut se pencher pour atteindre les pointes. Bon, ça ne marchera pas comme ça. J'ai une idée, retourne-toi.

Quand elle fut face à lui, il la souleva sans peine et la fit asseoir sur le comptoir. Entre ses cuisses, il marqua une seconde d'hésitation. Il suffisait d'un simple mouvement pour être contre son corps, contre ses lèvres. Il leva les yeux et s'aperçut que sa bouche était à peine entrouverte, appelant presque au baiser. Presque. James recula d'un pas et déglutit.

— Si tu te penches en arrière, je pourrai atteindre la pointe de tes cheveux derrière toi, ils seront à la bonne hauteur.

Elle trouva une position confortable sur l'îlot central pendant qu'il faisait le tour. Là, il tira sur ses épaules pour qu'elle se penche plus en arrière. Beth trouva son équilibre, les mains sur le granit.

— C'est bon, comme ça ?

— Beaucoup mieux, répondit James. Mais le résultat sera moins joli qu'avec un vrai coiffeur.

— Pour être honnête, tu n'as pas du tout le profil du coiffeur. Trop d'impact de balles, répondit-elle d'une voix langoureuse.

Langoureuse ? Était-ce encore son imagination qui lui jouait des tours ?

Glissant les doigts depuis la racine de ses cheveux jusqu'à leur pointe, il sentit leur épaisseur, leur chaleur. L'avait-il vraiment sentie frissonner ? Il attrapa la pointe et chercha à se souvenir des techniques de leur barbier, à la base.

La coupe ne serait jamais parfaitement droite. Il passa la brosse pour les tendre au maximum et coupa les mèches qui lui semblaient dépasser, puis répéta l'action jusqu'à ce qu'il estime avoir fait du bon travail. Ensuite, ce fut décidément plus fort que lui. Il continua de lui caresser les cheveux, puis encore une fois, jusqu'à ce qu'il parvienne enfin à se ressaisir. *Mince.* S'il continuait comme ça, il allait se faire tatouer « Beth » sur les fesses.

Ressaisis-toi, mon gars.

— Je crois que c'est bon, je ne pourrai pas faire mieux, dit-il finalement, secrètement fier d'être capable d'arrêter de la toucher.

— Merci. C'est gentil.

Elle se redressa et s'étira comme un chat. James en profita pour faire le tour du comptoir et la saisit par la taille afin de l'aider à redescendre.

— Non, ça va. Je peux y arriver toute seule.

— Avec ces trucs aux pieds ? rétorqua-t-il en désignant les escarpins pointus aux talons de sept centimètres. Je n'ai pas envie de t'aider tout le week-end à marcher avec une attelle. Et puis, ce serait moche avec tes nouvelles robes.

— Un point pour toi.

Lui décochant un grand sourire, elle posa les mains sur ses épaules. James la souleva sans effort et la posa sur le sol. Pourvu qu'il n'ait pas hésité une seconde avant de s'écarter. Il n'avait pas hésité, si ? Lorsque le corps de Beth était si proche, il avait tendance à perdre la notion de temps et de l'espace. Il fallait agir, ça ne pouvait pas continuer comme ça.

— Je vais me changer, je reviens tout de suite, lança-t-il en se dirigeant tout droit vers le dressing.

— OK, je te chronomètre. Si tu mets plus de temps que moi pour te préparer, je romps nos fiançailles.

Il lui lança un regard par-dessus l'épaule et lui rendit son sourire espiègle.

Chapitre 8

Beth espérait qu'il prendrait une éternité à se préparer. Ainsi, elle aurait le temps de se remettre de l'érotisme de la scène. Depuis qu'elle avait senti la main de James dans ses cheveux, son cœur battait à cent à l'heure. Avec des gestes imprécis, elle ouvrit une nouvelle bouteille de vin. L'autre n'était pas terminée, ils l'avaient laissée sur la table dehors, dans son seau à présent rempli d'eau.

Elle se servit un verre dont elle but aussitôt une gorgée. Déjà, elle se sentait mieux. Beaucoup mieux. De nature plus économe que les Walker, elle récupéra la bouteille à moitié vide abandonnée dehors et la rangea au frigo. Ils la termineraient plus tard.

Elle but une nouvelle gorgée de vin et prit une profonde inspiration, appuyée contre la baie vitrée, contemplant vaguement la piscine. *Qu'est-ce que je fais ici ?*

Ce qui lui était apparu comme une solution logique dans la voiture la renvoyait à présent à une profonde incertitude, chose à laquelle Beth n'était pas habituée. Elle n'avait pas coutume de fréquenter la haute société, de baigner dans ce luxe, dans ces vêtements hors de prix. Sans compter l'alliance de diamants qui réfléchissait magnifiquement la lumière sur chaque facette, et créait des halos de reflets de toutes formes sur sa peau et son chemisier. Envoûtant.

Il était temps de reprendre le contrôle de ses émotions et de ses pensées. Elle n'avait pas l'habitude de se laisser conduire et là, elle ne pouvait que patienter et aider James à protéger Maisie. Ne serait-ce que jusqu'à dimanche.

Ensuite, elle redeviendrait Beth. Dimanche, elle rentrerait chez elle et retrouverait son chien, sa sœur, une bière fraîche et un match de football retransmis en plein après-midi. Elle enfilerait un pyjama. Un bon vieux pantalon troué. Respirant profondément, elle s'accrocha à cette pensée, à dimanche et au retour à la réalité.

— Prête ? lança James derrière elle, et il éteignit la lumière, plongeant la pièce dans l'obscurité.

— Oui, attends…

Beth posa le verre dans l'évier et s'essuya les mains sur son pantalon.

— Prête.

James sortit de l'ombre. Il portait un jean gris charbonneux et un polo noir cintré. Lorsqu'il n'était pas torse nu, il semblait encore plus grand et plus imposant que dans les souvenirs de Beth.

Pour se rendre au bar dans le centre de Washington, il leur fallut moins de trente minutes en voiture. La ville semblait déserte sous la chaleur écrasante de cette soirée d'été. En route, ils traversèrent le Potomac par le Key Bridge, puis passèrent devant le centre artistique Kennedy et l'hôtel du Watergate, des lieux que Beth n'avait jamais vus ailleurs qu'à la télévision. Sous les lumières de Georgetown, elle se crut dans un conte de fées. Et le prince était particulièrement charmant.

James s'engagea dans le parking avec voiturier et s'empressa de sortir du véhicule pour ouvrir la portière à Beth, dont le cœur s'emballa. N'était-ce pas stupide de se laisser séduire par une simple marque de politesse ?

— Souviens-toi qu'on est fiancés. Amoureux. Le temps de quelques heures seulement. Tu penses pouvoir t'en sortir ?

— Évidemment, mon amour, rétorqua Beth en lui lançant un tendre regard avant de l'embrasser sur la joue. Je sais pourquoi je suis là.

Elle le sentit tressaillir et en tira un secret plaisir. Il ressentait donc la même chose qu'elle. Seulement, cela ne mènerait nulle part. Inutile de se torturer l'esprit. Elle n'avait pas l'intention de vivre une scène de jalousie ou de doute déchirant en plein déploiement à l'autre bout du monde.

Une fois que les choses furent bien claires dans sa tête, elle accepta le bras qu'il lui présentait et sourit au jeune homme qui leur ouvrit les grandes portes noires de l'établissement.

Dans le petit hall d'entrée, le mur d'en face était percé de deux grands trous, autrefois occupés par des ascenseurs, devina Beth. Les portes étant absentes, il ne restait que ces trous noirs sans boutons. Un panneau indiquait : « ENTREZ À VOS RISQUES ET PÉRILS. »

— Cette pancarte résume ma vie entière, observa-t-elle en lançant un coup d'œil à l'obscurité.

— C'est mon chemin préféré pour accéder aux étages. Il y a un ascenseur classique et une cage d'escalier à l'entrée principale pour les poules mouillées, expliqua James en scrutant la réaction de Beth.

— J'espère qu'on ne doit pas grimper à la corde, mon pantalon n'apprécierait pas.

— Rien de si extrême, rassure-toi. L'ascenseur ne s'arrête pas. Tu dois monter en marche au moment où il passe. Puisqu'il n'est pas rapide, ce n'est pas trop dangereux.

— Pas trop dangereux ? Est-ce que c'est assez dangereux pour que je retire mes talons ?

— Non, ce n'est pas la peine, répondit James, puis il leva les yeux en percevant le grondement de ferraille. Tu n'as qu'à me suivre.

Il glissa un bras autour de sa taille et la tint fermement contre lui. Le fond de l'ascenseur apparut, et, par instinct, Beth passa aussi le bras autour de lui.

— Un, deux, trois… monte !

Ils avancèrent en même temps et descendirent aussitôt dans l'obscurité.

— Qu'est-ce que… ?

James la serra un peu plus fort, comme si les ténèbres le gonflaient de courage.

— En bas, l'ascenseur fera demi-tour. On se déplacera ensuite horizontalement et on remontera.

Elle lui prit la main, moins par peur que par surprise.

Dix secondes plus tard, ils repassaient devant le hall d'entrée et remontaient les étages. Certains avaient des portes de bureaux fermées, d'autres semblaient en travaux, avec des bâches en plastique et des bancs de travaux en bois. Entre chaque étage, c'était le noir total.

Aux alentours du huitième étage, James étreignit les doigts de Beth. Elle sentit qu'il lui levait la main comme pour y déposer un baiser, mais il n'en fit rien. Quand ils atteignirent le dixième étage, il dit :

— Prête à sortir ?

Elle lui serra la main en réponse et ils firent un pas en avant à l'étage suivant. Celui-ci était décoré de métal et de verre dans un style totalement différent du reste du bâtiment.

Des portes vitrées donnaient sur une immense terrasse sur les toits, illuminée de milliers de petites ampoules dans cette nuit noire. Des canapés et autres fauteuils étaient regroupés autour des bords du toit, et tout au fond, un comptoir bondé de clients et une piste de danse.

Un sifflement les interpella et James leva la main. En se retournant, Beth aperçut Sadie leur faire signe.

Elle se sentait beaucoup plus à l'aise, finalement.

Sans lâcher la main de Beth, James se dirigea vers la table que Sadie leur avait réservée près du comptoir. Bien joué : assez proche pour commander au barman sans se lever, assez loin pour jouir d'un minimum d'intimité. Sadie n'avait pas changé.

James embrassa sa sœur qui se jeta ensuite dans les bras de Beth en s'exclamant :

— Te voilà, ma conspiratrice préférée pour ma fuite clandestine ! On se tutoie, pas vrai ?

— Ta conspiratrice ? Quelle fuite clandestine ? lui lança Simon en prenant sa fiancée par la main pour la faire asseoir tout en présentant son autre main à James.

— Voici ma fiancée, Beth.

Avec un sourire, cette dernière échangea une poignée de main avec le futur marié.

— Bière ou vin ? leur proposa-t-il.

James se tourna vers Beth qui haussa les épaules.

— L'un ou l'autre, peu importe. Cela dépend du temps qu'on restera ici.

Sadie regarda sa montre.

— Environ deux heures ?

— Dans ce cas, ce sera du vin pour moi, affirma Beth avant de s'expliquer auprès de James. Si nous étions restés plus longtemps, j'aurais pris de la bière pour que vous n'ayez pas à me ramasser à la petite cuillère.

— Du vin blanc pour Beth et moi, merci Simon.

Simon fit signe au barman mais Sadie le devança en sifflant.

— Une bouteille de Chardonnay, quatre verres !

De toute évidence, ce bar faisait régresser sa sœur de quelques années. Elle s'adossa à sa chaise et décocha un grand sourire à la tablée.

— Beth, je suis ravie de te rencontrer comme il se doit. J'espère qu'on pourra passer un peu de temps ensemble ce week-end. Bientôt, on formera une grande famille. Oh mon Dieu ! Montre-moi cette bague. Beth lui tendit la main gauche et Sadie porta la sienne à son cœur.

— James doit être fou amoureux. Elle est magnifique.

Beth prit la main de James et sourit.

— Je sais, j'ai beaucoup de chance.

Puis elle porta la main à ses lèvres pulpeuses et y déposa un tendre baiser, comme il avait lui-même été tenté de le faire dans l'ascenseur. Sa bouche entrouverte lui brûla la peau et il frissonna. Déjà, il avait d'autres envies en tête. *Quelle tuile.*

— C'est moi le chanceux, dans cette histoire.

— Vous avez posé la date ? s'emballa Sadie. Enfin, ça m'étonnerait. Après tout, on n'est au courant que depuis ce matin.

Sous la table, elle donna un bon coup de pied à son frère.

— Aïe ! Arrête, Sadie !

Beth profita que James se massait le tibia pour répondre à sa sœur.

— Nous n'avons pas encore choisi la date. Cela dépendra de mon travail et de celui de James, mais aussi des disponibilités de ma sœur. C'est ma seule famille, je veux être certaine qu'elle pourra venir.

— Ma chérie ! s'exclama Sadie. On est là, nous aussi. Maintenant, on forme une grande famille.

— Merci. C'est très gentil.

Heureusement, le serveur les interrompit pour servir le vin. Chacun attendit poliment que son verre soit rempli, et lorsque Beth croisa le regard de James, elle lui fit brièvement comprendre son malaise. Après qu'elle a bu quelques gorgées, James lui tendit la main.

— M'accordes-tu cette danse ?

Il avait à peine terminé sa phrase que Beth était debout. Décochant un sourire aux autres, il les pria de ne pas boire toute la bouteille.

— Sadie est toujours comme ça ? Elle m'a l'air un peu… fofolle.

— Ce n'est pas la Sadie normale, rassure-toi. Entre le mariage qui échappe à son contrôle et les e-mails inquiétants, elle est un peu à cran. Ou peut-être qu'elle ne croit pas à notre histoire de fiançailles, je ne sais pas.

— Ça peut s'arranger, ronronna Beth. Dansons par ici pour qu'elle nous voie.

Elle trouva un espace entre deux couples enlacés sur un rythme langoureux.

Avec plaisir, voulut-il grogner. Au lieu de cela, il enroula ses bras autour de son corps frêle et l'attira brusquement contre lui, serrant fermement ses hanches contre les siennes.

— Comme ça ?

— Oui, comme ça, acquiesça-t-elle dans un murmure.

Venait-elle de lui mordiller l'oreille ? La tension familiale le quitta peu à peu et un tout autre genre de tension prit possession de ses sens. Ils se mirent à onduler sur la musique et le chemisier de Beth flotta juste assez pour lui laisser entrevoir un morceau de soutien-gorge violet. Seulement la bretelle, ce qui lui suffit pour l'imaginer entièrement nue.

Cette fois, il ne put retenir un gémissement.

— Pardon, je t'ai marché sur le pied ? chuchota Beth en se frottant doucement, tout doucement contre son érection.

— Non, mais tu marches sur mon self-control. Qu'est-ce que tu fais, au juste ? James était terrassé par le désir.

— On doit être convaincants, pas vrai ? répondit-elle, les lèvres à deux centimètres de celles de James.

— OK.

Il s'immobilisa et enfouit une main derrière la nuque de Beth, lui massant doucement le crâne, puis il saisit une poignée de cheveux et tira d'abord doucement, puis légèrement plus fort. La tête à peine rejetée en arrière, elle entrouvrit les lèvres et y passa la langue. La tentation était trop forte.

Beth posa les mains sur les épaules du jeune homme et laissa courir ses doigts sur son torse, transformant son corps en une boule d'énergie sensuelle. Elle ne le quitta pas du regard, comme s'il était le seul homme dans le bar.

Elle l'attira à lui pour l'embrasser une fois, deux fois, puis posa son front contre le sien. James se sentait flotter hors de son corps, aspiré par les sensations qu'elle provoquait en lui.

— Ne peut-on pas rester là, comme ça, jusqu'à la fin du week-end ? murmura-t-il.

Le corps de la jeune femme se crispa dans ses bras.

— Tu n'es pas obligé de dire ça, ils ne nous entendent pas, lui fit-elle remarquer en regardant autour d'elle. En tout cas, Simon et Sadie ont l'air convaincus. Tiens, ils arrivent.

— Mes chéris ! Pardon de gâcher votre instant enflammé, le videur a failli ramener l'extincteur.

Un visage familier parmi la foule attira l'attention de James. Deux visages, pour être exact. Il les désigna à sa sœur.

— Ce ne serait pas Jeffrey et... William ? Qu'est-ce que...

Il libéra Beth de son étreinte et avança d'un pas vers eux. William était son meilleur ami à l'époque du lycée. Ils vivaient dans la même rue, mais avaient perdu contact quand James avait rejoint l'armée, huit ans plus tôt. Le jeune homme ne revenait plus voir ses parents, ce n'était donc pas étonnant qu'il ait perdu contact avec lui. William l'aperçut et lui fit signe. *Ce salaud n'a pas pris une ride.*

— Quel hasard ! s'exclama Sadie en prenant Simon par la main.

James serra doucement l'épaule de Beth.

— Jeffrey et Sadie sont sortis ensemble il y a très, très longtemps. Il travaille pour mon père, maintenant. William était notre voisin, mon meilleur ami. On sortait souvent tous ensemble quand on était plus jeunes. C'est fou de les croiser ici, tous les deux.

Simon serra la main de Sadie.

— Et si on allait s'asseoir sur les canapés là-bas ? Vous pourriez rattraper le temps perdu.

À en juger par le regard que Simon échangea avec sa future épouse, James devina qu'il n'était pas si emballé à l'idée de passer la soirée avec un ex de Sadie et un vieux copain d'enfance.

Sadie hocha pourtant la tête et se laissa guider par Simon jusqu'au coin du bar qui donnait sur *Washington Mall*. James fit signe à ses copains de les rejoindre. Jeffrey regarda les canapés puis désigna le bar. James attrapa Beth par la main avant de se diriger vers les canapés, mais cette dernière se dégagea.

— Je vais récupérer notre vin, on l'a laissé sur la table.

— Tu as besoin d'aide ?

— Non, ça va. Je m'en occupe.

Et elle tourna les talons sans lui laisser le temps de répondre.

L'instinct, voilà l'arme secrète de Beth. C'était grâce à son instinct qu'elle avait mené sa carrière si loin. Il ne la trompait jamais dès qu'il s'agissait de décrypter quelqu'un, or ce Jeffrey ne lui inspirait rien de bon. Tout chez lui semblait étrange : son sourire, sa façon de regarder Sadie, de la regarder elle, sa manière discrète de cacher sa calvitie naissante, ses mocassins à talons plus hauts que la moyenne. Tout laissait croire qu'il manquait de confiance en lui, qu'il faisait tout pour prétendre le contraire.

Dans la carrière de Beth, les hommes en proie au doute étaient ceux-là même qui l'avaient rabaissée, dénigrée. Pour elle, c'était une violence.

Un jour, ce don d'anticiper le danger lui permettrait de travailler pour la CIA. En tout cas elle l'espérait. Depuis toujours, elle savait pressentir une menace avant qu'elle ne se manifeste. Comme lors de sa dernière mission. Quoique, la balle l'avait bien touchée.

William rejoignit les autres. Il avait environ le même âge que James, aussi grand mais plus mince. Ses cheveux en bataille lui donnaient un air de Hugh Grant en plus jeune. Charmant, avec son côté premier de la classe. Il semblait heureux de revoir Sadie et James. Accoudée au comptoir, Beth les observa se saluer.

Le serveur avait débarrassé le peu de vin qu'il restait, elle attira donc l'attention du barman pour commander une autre bouteille. Tandis qu'il partait dans la réserve, elle remarqua que Jeffrey l'avait repérée depuis son groupe d'ivrognes au bout du comptoir. Elle sourit, et il n'en fallut pas plus. Il quitta ses amis et se fraya un chemin jusqu'à elle.

— Salut. Alors comme ça, c'est toi le nouveau membre de la famille dont tout le monde parle ? dit-il en riant. Je m'appelle Jeffrey, un vieil ami des Walker.

Les nouvelles vont vite, même les plus fausses, constata-t-elle.

— Tu es là pour le mariage ? demanda Beth en se tournant vers lui.

Il resta impassible, mais elle crut percevoir dans son regard comme une étincelle. Peut-être était-ce l'éclairage du bar.

— Tout juste, ma belle. J'ai hâte que la fête commence, sourit-il avant de lui prendre la main. Ma foi, tu es vraiment fiancée, alors ? Quand j'ai entendu ça, je croyais à une mauvaise blague. Encore un Walker qui mord la poussière.

Il rejeta la tête en arrière avec un petit cri qui n'aurait vraiment fonctionné que dans un western.

— Je suppose.

Elle retira vivement sa main, tiraillée entre son envie de battre en retraite et celle de le faire parler pour voir s'il pouvait être à l'origine des e-mails. Et puis, il méritait une bonne leçon pour l'avoir appelée « ma belle ».

— On se croisera dans le week-end. Je peux te donner quelques tuyaux concernant le clan Walker, ajouta-t-il sur le ton de la confidence avec un regard appuyé. Mais rassure-toi, je suis un homme de confiance. Je travaille pour le père, si tu vois ce que je veux dire.

— Oui, je vois.

Ah, enfin ! Le barman était de retour. Elle prit la bouteille et un plateau de verres à pied qu'elle mit sur la note de Sadie. Elle s'en voulait de lui faire payer le vin, mais elle ne voulait pas montrer sa carte bancaire à Jeffrey au cas où il apercevrait son nom.

— Je regarderai ton dossier dès demain au travail, lança Jeffrey en lui prenant la main comme pour la serrer, mais il la maintint immobile. Et si tu es réglo, je te dirai tout sur mes souvenirs avec les Walker. Pourquoi j'ai annulé mes fiançailles, comment les supporter, tout ça. Crois-moi, tu auras besoin de le savoir.

Le sourire aux lèvres, Beth coinça la bouteille sous son bras et répondit poliment :

— Comment veux-tu trouver mon dossier sans connaître mon nom de famille ?

La mine déconfite du jeune homme lui donna envie de rire, et elle reprit :

— En tout cas, j'ai été ravie de faire ta connaissance.

Elle choisit de rester sur le registre courtois. Il ne fallait pas qu'il lui fasse une mauvaise réputation auprès du père de James. Elle s'en alla sans regarder en arrière.

Un brin angoissant, certes, mais pas dangereux. Peu professionnel car indiscret concernant son travail et son accès aux informations classées confidentielles. C'était justement le problème de ce genre d'individus : ils avaient toujours quelque chose à prouver. Un homme, un vrai, n'allait pas crier sur tous les toits ce qu'il faisait dans la vie. Beth avait été abordée par pire que lui dans le passé, tout comme toutes les femmes présentes dans ce bar, d'ailleurs. En revanche, elle ne comprenait pas pourquoi l'ex de la mariée était invité au mariage. Mais après tout, chacun trouve midi à sa porte.

Tandis qu'elle rejoignait les canapés, elle brandit le plateau et se trouva amusée par la réaction de James qui poussa un cri de victoire. Il devait avoir très soif, ou peut-être régressait-il à cause du lieu, comme sa sœur.

— J'ai parlé à Jeffrey. Il m'a dit qu'il serait là pour la cérémonie et pour la fête. Tu as invité ton ex à ton mariage ?

Simon répondit à la place de Sadie.

— On ne l'a pas invité. C'était une décision de son père. En fait, les parents de Sadie ont décidé d'une grande partie des invités. Presque tous, même.

— Ce qui explique pourquoi je n'ai pas reçu mon carton d'invitation, devina William, un grand sourire aux lèvres.

— Je ne savais pas que tu étais en ville. Aux dernières nouvelles, tu faisais ton trou dans la Silicon Valley. Comment ça se passe, d'ailleurs ? s'enquit Sadie.

William but une gorgée de bière.

— Je monte ma boîte et ça s'annonce bien. J'ai de nombreux investisseurs. Le net m'offre une grande liberté de ce côté-là.

— Mon vieux, la Californie ? J'ai du mal à le croire, siffla James. On viendra te rendre visite.

Il passa un bras autour des épaules de Beth et la serra contre lui.

— J'adore la Californie, renchérit-elle.

— Ce serait super, vous devriez même tous venir. Ma maison donne sur la jetée de Sausalito, vous en tomberez amoureux. D'ailleurs, vous pouvez y aller quand vous voulez : il suffit que vous appeliez ma secrétaire pour qu'elle vous donne les dates de disponibilité.

William s'étira comme un chat, posant les bras de chaque côté sur le dossier du fauteuil avec l'attitude d'un type trop sûr de lui. Beth ne put se retenir de lui décocher un rictus narquois.

— Viens au mariage, Will, lui lança Sadie. On enverra une invitation à l'adresse de tes parents demain matin.

— Avec grand plaisir. J'adore passer du temps avec vous, les copains.

— Au moins, ça fera une personne de plus qui nous connaît vraiment parmi les invités, parce qu'ils ne sont pas nombreux, se désola Sadie. Je vous jure, ce mariage nous dépasse complètement, j'ai l'impression de ne pas être concernée.

Toutefois, elle prit la main de Simon en poursuivant :

— Plus que deux jours avant notre voyage de noces. Vous êtes sûrs qu'on ne peut pas déjà prendre le premier avion ?

Son ton plaintif déclencha un rire général.

James servit plus de vin à Beth et commença à chahuter William au sujet de sa secrétaire et de sa maison en bord de plage, ce qui le mena à raconter comment il avait piraté le système informatique de leur école dans le seul but d'intimider le casse-cou de leur classe. De toute évidence, William avait frôlé la maison de correction. Beth riait en écoutant James décrire la fureur de leurs parents lorsqu'ils avaient appris la nouvelle. Tandis qu'ils poursuivaient leurs anecdotes, James passa un bras sur les épaules de la jeune femme et l'attira contre lui.

Cuisse contre cuisse, hanche contre hanche. Elle s'attendait à voir ses pensées dériver vers le sexe, mais il n'en fut rien et elle se sentit simplement… en sécurité. Était-ce parce qu'il lui avait déjà sauvé la vie une fois ? L'expérience avait dû faire tomber une barrière entre eux. Lui avait-elle sauvé la vie en retour ? Pour elle, ce n'était pas si sûr. Elle n'avait fait que riposter après qu'un taliban lui a tiré dessus, et franchement, il ne les aurait pas touchés à cette distance. En revanche, James l'avait sauvée, et cela ne faisait aucun doute.

Sirotant son vin, elle écouta les souvenirs que partageaient Sadie, James, William et Jeffrey. D'un signe de tête, Simon fit comprendre à James que son verre était vide, et ils se dirigèrent tous les deux vers le bar pour une autre tournée. Beth songea alors que si elle ne commençait pas à compter ses verres, elle prenait le risque de se donner en spectacle, et pas de la meilleure manière qui soit. Elle se tourna vers James pour lui demander un cocktail sans alcool mais il avait déjà disparu à travers la foule.

Chapitre 9

— Tu tiens le coup ? demanda James à Simon tandis qu'ils attendaient leurs boissons.

Ils auraient dû faire commander Beth : les femmes étaient toujours servies les premières.

— Tu parles du mariage ? Oh, c'est pénible mais on s'y fait. Deux jours à tenir et on part en tête à tête aux Bahamas. Je ne peux pas vraiment me plaindre.

Simon tapota impatiemment le comptoir avant de poursuivre :

— C'est juste que… Je n'aime pas sentir tous les regards tournés vers moi. Sadie et moi, on préfère rester en retrait, ce n'est pas notre truc d'attirer l'attention. Et puis, sans vouloir te vexer, le manque de tact est assez frappant dans cette famille.

James éclata de rire.

— Je ne le prends pas mal. On peut difficilement reprocher à mes parents d'être hypersensibles, sauf lorsqu'il s'agit de sauver les apparences.

Avec un haussement d'épaule, Simon se tourna vers le comptoir en cherchant le regard du barman.

— Je vois bien qu'il y a autre chose, un truc qui te tracasse, insista James.

Il n'avait croisé Simon qu'une ou deux fois la première année où il avait fréquenté Sadie, mais James sentait que la tension qui émanait du jeune homme n'était pas seulement due au mariage. C'était l'occasion ou jamais d'aborder le sujet des e-mails.

— Le travail, rien de méchant. Un tas de dossiers nous est tombé dessus juste avant mon départ en vacances. Je me sens coupable de les laisser se débrouiller sans moi, tu comprends ? L'équipe s'en charge à ma place, c'est nul. Ah, c'est pas trop tôt !

Un barman s'approcha et Simon commanda leurs boissons en double pour les emporter eux-mêmes à leur table. *Plutôt malin*, observa James.

— La prochaine fois, on envoie Sadie et Beth pour commander, lança-t-il en prenant la bière et les bouteilles de vin.

— Tout à fait d'accord. J'avais une amulette pour me porter chance à la commande au comptoir, mais je l'ai perdue.

James se mit à rire. Il avait hâte d'apprendre à connaître Simon. Ce type était parfait pour sa sœur. Il s'apprêtait à lui lancer une remarque chaleureuse de futur beau-frère, peut-être même une plaisanterie grivoise, quand il s'aperçut que Simon fronçait les sourcils. James suivit son regard.

En moins d'une seconde, au milieu de la foule compacte sur la piste de danse, il repéra le visage de Beth. Elle était debout, la main tendue comme pour calmer une personne en colère. L'instinct prit le dessus et James se fraya un chemin jusqu'à elle sans jamais la quitter du regard, Simon à ses côtés.

Puis on tira brusquement Beth en arrière. James laissa tomber les boissons et s'élança, jouant du coude au milieu des danseurs. Comme les gens s'écartaient, il put apercevoir Sadie qu'un homme à capuche emportait vers la sortie. Beth hurla le nom de James, ne sachant pas qu'il était juste derrière elle. Elle luttait contre l'emprise d'un autre individu, lui-même dissimulé sous une capuche. Son sang ne fit qu'un tour. *Retire tes sales pattes de Beth!*

— Simon, va chercher Sadie! ordonna-t-il en pointant du doigt la sortie avant de se ruer sur l'homme qui tenait Beth.

Simon sauta sur les dossiers des canapés et attrapa le ravisseur, qu'il terrassa d'un coup de poing dans la figure.

James tordit les poignets de l'autre type, libérant ainsi Beth, et serra les bras autour de lui comme ce salaud venait de le faire avec la jeune femme. Les yeux brillants de fureur, Beth en profita pour donner un coup de pied entre les jambes de son ravisseur. James fit une grimace compatissante et laissa l'homme s'effondrer au sol.

— Quel salaud !

Elle lui donna encore un coup de pied dans le ventre, mais il ne réagit pas.

— Est-ce que ça va ? Bon sang, qu'est-ce qui s'est passé ? s'inquiéta James en lançant un regard vers l'autre, recroquevillé près des canapés.

— Ils ont essayé de kidnapper Sadie. William s'est enfui en courant, Jeffrey s'est figé sur place, et j'ai essayé d'arrêter les types. Mais celui-là m'a fait la prise de l'ours, je n'ai pas pu l'esquiver. Aucun doute, c'est un pro.

Avant qu'elle n'ait le temps de finir sa phrase, le type se releva en poussant derrière ses épaules façon ninja. James voulut le rattraper, mais l'homme fut plus rapide et sauta par-dessus les canapés en direction de Simon et Sadie. James lui courut après, mais l'assaillant de Beth souleva son copain à moitié sonné, le lança dans la cabine d'ascenseur mouvante et sauta à son tour, disparaissant de leur vue.

— Merde ! s'écria Simon. Qu'est-ce qui s'est passé ?

La scène n'avait pas pris plus d'une minute. Une minute trente maximum. Sadie était en état de choc.

— C'est eux qui ont envoyé les e-mails ?

Simon plissa les yeux.

— Quels e-mails, Sadie ?

Dans un grognement, elle posa la tête sur l'épaule de son fiancé.

— Tu m'as dit que tu en avais parlé à Simon ! lui reprocha James, furieux. Comment as-tu pu lui cacher une chose pareille ?

Beth lui toucha le bras et il se retourna pour la voir secouer doucement la tête. Il regarda sa sœur, recroquevillée dans les bras de Simon. Elle avait les larmes aux yeux.

— Allez, on rentre à la maison, lui chuchota Simon avant de hocher la tête en direction de James. Je la ramène. On en reparle demain matin.

James acquiesça. Lovée dans les bras de Simon, sa sœur ne risquait plus rien.

— Tu crois qu'on devrait appeler la police ? demanda Beth.

C'était sans doute la meilleure chose à faire, mais James n'avait qu'une envie : quitter cet endroit avec Beth le plus tôt possible.

— Ce ne sera pas nécessaire, répondit William en apparaissant de nulle part, les yeux rivés sur son téléphone. D'après mon fil Twitter, la police est sur le coup d'une altercation au *JibJab*. On ferait mieux de partir. À moins que vous n'ayez envie de passer la nuit à répondre à leurs questions.

Il avait raison, bien qu'il ait toujours fui la police étant jeune, en partie à cause de ses habitudes de pirate informatique. En l'occurrence, James estimait qu'il était inutile d'en rajouter. Personne n'en avait envie et encore moins Sadie.

Il dit au revoir à William et prit son numéro de téléphone. Jeffrey, quant à lui, avait disparu, ce qui n'était pas une surprise. Il faisait sans doute déjà son rapport au directeur Walker. Le petit déjeuner promettait d'être animé.

James prit Beth par la main et se dirigea vers l'ascenseur. Une fois à l'intérieur, il la serra contre lui comme il avait rêvé de le faire des dizaines de fois.

— Je suis sincèrement désolé. Je ne pensais pas te mettre en danger en t'invitant à ce mariage. (Il resserra son étreinte et posa le menton sur sa tête.) Excuse-moi, dit-il encore.

Il plaisantait, là ! Beth s'écarta brusquement.

— Non ! C'est moi qui suis désolée, James. J'aurais dû protéger ta sœur. Je n'arrive toujours pas à croire que ce salaud ait pris le dessus. Je n'ai même pas pu le regarder en face.

Et c'était la vérité. Elle avait été formée à neutraliser l'ennemi, pas à étudier les traits de son visage. Elle n'avait pas la moindre idée de l'identité des ravisseurs, à cela près qu'ils avaient la peau claire et portaient tous deux des capuches dont les ficelles étaient serrées sous leur menton.

— Bon sang, Garcia, arrête un peu de te flageller. Simon et moi, on les a aussi laissés filer, regretta James d'une voix grave. C'est une preuve.

Beth réprima un sourire.

— De quoi ? Que vous êtes des minus ?

— Tu ne t'arrêtes jamais ? soupira-t-il. Bon d'accord, c'est de bonne guerre, mais ose le répéter à Simon demain matin. Ne m'en veux pas si je me tiens très loin de toi à ce moment-là !

Le moins qu'on puisse dire, c'est qu'elle avait du cran.

— Qui étaient ces types, d'après toi ? s'enquit Beth, perdant son sourire.

— Je ne sais pas. Ils semblaient pro, mais jeunes. Une chose est sûre : on doit être vigilants pendant le mariage. Je regrette même que la cérémonie ait lieu à la cathédrale de Washington. Ce serait plus logique de tout faire à la maison. Elle est assez grande et on y serait plus en sécurité. En tout cas, on en reparlera demain matin. (Il l'attira encore une fois contre lui.) Pour l'instant, oublions tout ça, tu veux ?

Son souffle frôla le visage de Beth, la faisant frissonner. Elle avait envie de sentir sa bouche se promener sur elle, partout sur son corps. *Ressaisis-toi, ma belle !* Ce devait être l'adrénaline. Elle tourna la tête afin de le regarder droit dans les yeux. *Embrasse-moi, idiot !*

Le regard de James se posa brièvement sur sa bouche à l'instant où elle entrouvrit les lèvres, et… elle sentit son ventre gargouiller. Le bruit fit penser à une explosion en plein cœur d'une base militaire et l'écho résonna entre les murs étroits de l'ascenseur. Leur instant de magie s'était évaporé.

— Depuis quand tu n'as pas mangé ? grimaça James au moment où il se rappela leur dernier repas. On n'a rien avalé depuis le petit déjeuner, pas vrai ?

— C'est ça, mais le vin compte comme un fruit.

— Je connais l'adresse idéale pour un repas sur le pouce, affirma-t-il.

Au rez-de-chaussée, ils quittèrent le bâtiment et s'arrêtèrent sur le trottoir. James resta un pas devant Beth en inspectant la rue. De son côté, elle lança un regard aux éventuels caches : des entrées désertes, l'impasse d'en face, et les fenêtres du premier étage.

Rien en vue.

Il se tourna vers elle et lui tendit la main.

— C'est parti ?

Avec un sourire, elle accepta sa main et se laissa guider jusqu'à une petite place. Un carré d'herbe ornait le centre et les devantures tout autour fourmillaient d'activité. Le paradis des *food trucks*.

— Je te bénis, souffla-t-elle. Cet endroit est magique, c'est pile ce dont j'avais besoin.

Tiraillée par la faim, elle se dirigea tout droit vers un marchand de tacos ambulant.

— Des tacos ?

— Excellent choix, mam'zelle. À condition que vous passiez commande.

— Du poulet ! s'exclama-t-elle en gloussant.

— Un steak, peut-être ?

— Très drôle, lui lança-t-elle par-dessus l'épaule en s'approchant de la vitre du vendeur.

Elle commanda deux tacos au bœuf avec la garniture complète. L'odeur qui émanait de la camionnette renvoyait Beth au souvenir de la cuisine de sa mère et aux recettes qu'elle ne lui avait jamais enseignées.

Elle tendit un taco à James et mordit goulûment dans le sien. Ce fut une explosion de saveurs dans sa bouche, un tourbillon de goûts divins, un délice de gourmandise… *Oh bon sang, c'est parfait !*

— *Oh por dios, esto es delicioso ! Creo que te amo. Definitivamente estoy enamorada,* lança-t-elle au vieux marchand.

Celui-ci haussa les épaules d'un air nonchalant et répondit avec un accent anglais prononcé :

— Évidemment, c'est ce qu'elles me disent toutes. Arrête ton char !

— Qu'est-ce que tu lui as dit ? s'enquit James en déballant son taco.

— Je lui ai dit que je l'aimais, répondit-elle la bouche pleine.

— Incroyable.

Amusé, il mordit dans son repas.

— Ouais, il ne m'a pas crue non plus. C'est délicieux, tu ne trouves pas ?

— Un bonheur. Je crois que je suis amoureux de lui, moi aussi.

Du revers de la main, il chassa une goutte de sauce chili du coin de sa bouche.

— Va lui déclarer ta flamme. Je n'étais pas son genre, de toute façon.

— Tu plaisantes ? Tu plairais à n'importe quel type sur cette planète. *Caliente* !

— Je rêve ! Tu viens de me qualifier de *caliente* ? Espèce d'idiot.

Et elle mordit encore dans son taco avant de désigner un banc non loin de là. Ils s'assirent et engloutirent leur repas. Quand le dernier morceau eut disparu, Beth déclara :

— Tu avais faim, finalement.

Le regard du jeune homme s'assombrit.

— J'étais même affamé. D'ailleurs, je le suis toujours, Beth.

D'instinct, elle comprit qu'il ne parlait plus de nourriture.

— On devrait rentrer, tu ne crois pas ?

— D'accord, on y va.

Il se leva. Après avoir formé une boule avec le papier d'emballage, Beth visa la poubelle et marqua un panier avant de saisir la main qu'il lui tendait, puis elle se leva d'un bond.

— Je n'étais encore jamais venue à Washington, observa-t-elle. À part un malheureux incident avec un type à capuche, je trouve la ville plutôt sympa.

— Tu n'étais jamais venue ? Dans ce cas, on ne peut pas déjà rentrer, décida James en pointant du doigt la direction du sud. Tu sais ce qu'il y a par là-bas ?

Elle éclata de rire.

— Pas la moindre idée.

— Tout. Viens, je t'emmène.

Comme James se mettait à marcher d'un bon pas, elle dut s'agripper à sa main et retirer ses talons hauts.

— Regarde, dit-il en passant le bras autour de ses épaules.

Ils traversaient ce qui, de jour, devait ressembler à un carrefour grouillant de monde donnant sur un parc.

En face d'eux se dressait le Washington Monument entouré d'un cercle de drapeaux.

— Le triangle Washington Memorial, Maison-Blanche et Lincoln Memorial, ça te parle ? lui lança-t-il.

— Le Lincoln Memorial ?

Le monument était exactement comme dans les films : éclairé au cœur de la nuit noire, vision calme, féerique et majestueuse.

Ils se promenèrent le long de la Reflecting Pool, qui ne reflétait pas grand-chose, puis montèrent l'escalier au pied de la statue. Quelques personnes éparpillées autour d'eux prenaient des photos ou discutaient tranquillement, assises sur les marches.

Elle se demanda à quoi pensait James. À ces types, au bar ? À elle ? Leur scène dans la piscine et celle de la cabine d'essayage avaient été électriques. Depuis qu'ils avaient échangé ces baisers, elle avait envie de lui comme jamais. *Une fois seulement. Bon sang.* C'était sans doute l'effet de l'alcool ou de l'adrénaline. Elle n'avait pas couché avec un homme depuis longtemps et se demanda même si elle se rappelait comment s'y prendre.

James relâcha sa main pour s'appuyer à l'une des rambardes et il admira le ciel dégagé.

— C'est magnifique. On a du mal à croire qu'on se trouve au cœur de la capitale, tu ne trouves pas ?

Beth s'assit entre les pieds de James, le dos contre le muret de pierres, et admira la vue.

— On voit mieux les étoiles en Caroline du Nord. L'idéal, c'est de porter des jumelles de vision nocturne.

Il posa les mains sur ses épaules.

— Normal, on voit tout avec ces jumelles.

— Non, pas tout, murmura-t-elle en balançant la tête d'un côté puis de l'autre, savourant le massage de James.

Ce dernier ne répondit rien. Il promena ses pouces en cercles lents sur ses omoplates. Beth se sentit fondre. Elle ne savait plus de quoi elle parlait, ni pourquoi elle avait répondu une telle chose. Ce qui semblait compliqué et insurmontable sous l'éclairage impardonnable du jour prenait une teinte moins dramatique la nuit. Tout ça, ce n'était pas important. Avec lui, elle ressentait trop de choses. Beaucoup trop de choses. Même sans parler d'excès, elle se disait qu'elle n'avait plus ressenti cela depuis très longtemps. Elle se retourna.

— D'après toi, qu'est-ce qui se passe entre nous ?

Le regardant droit dans les yeux, elle attendit une réponse franche.

James épousa l'arrondi de sa joue avec sa main et elle dut se concentrer pour se retenir d'enfouir le visage dans sa paume réconfortante.

— Qu'as-tu envie qu'il arrive ?

En plus d'être incapable de lui répondre, elle n'en avait pas envie. Elle ne voulait rien laisser paraître, encore moins sa fragilité sur ce territoire qui la décontenançait parce qu'elle ne le maîtrisait pas.

— J'ai envie qu'il se passe quelque chose, mais je ne suis pas sûre d'en être capable.

Elle secoua la tête. Regrettant de s'être ainsi livrée à lui, ou cherchant simplement une excuse pour frôler un peu plus la main de James. Elle ne savait plus.

En effet, Beth voulait vivre une aventure avec lui. Mais elle n'avait pas envie de souffrir, or c'était inévitable.

— J'aimerais que tu en sois capable, murmura James. Je n'ai aucune idée de là où ça peut nous mener, mais je ne chercherai jamais à te blesser.

Il glissa de son siège improvisé sur le muret et caressa sa joue avec son autre main.

— C'est à toi de faire le premier pas, Beth.

Elle prit une profonde inspiration. Allait-elle vraiment céder ? Allait-elle vivre une aventure sans lendemain en espérant que ses sentiments pour lui disparaîtraient le lundi matin ? Son regard – sublime sous le clair de lune – la scruta patiemment. Il attendait. Au diable l'avenir, et les mauvais souvenirs de l'échec de ses précédentes relations ! Elle décida de tout envoyer valser, à part le sentiment bouillonnant que la proximité de cet homme lui procurait. *La vie est trop courte.*

Elle s'approcha et posa une main à plat sur son torse, savourant la pulsation de son cœur, rapide et puissante.

— J'ai envie de toi…

Après un bref silence, puisqu'il n'y avait pas de « mais », James s'empara de ses lèvres. Il la souleva et la plaqua contre le mur. Ses hormones déclenchèrent un tourbillon d'émotions paradoxales en elle, entre l'excitation et la crainte des conséquences. Elle lui rendit son baiser avec une frénésie délirante, glissant les doigts dans son col pour lui effleurer la nuque.

Avec un grognement, James recula d'un pas.

— Pas ici. Je te veux dans mon lit. Sous la douche. Dans la piscine. Mais pas en public.

Il ne la laissa pas répondre et la souleva, cette fois pour la porter comme il l'avait fait en Afghanistan.

— Ça me rappelle quelque chose, articula-t-elle entre deux souffles comme il l'emportait jusqu'à la voiture.

Elle ne put se retenir de glousser tout en luttant pour respirer.

— Tout va bien, m'dame ? s'inquiéta un homme en jogging de l'armée qui s'arrêta devant eux.

— Oui, merci, soldat. Ça va très bien.

Beth laissa échapper un rire en voyant le jeune homme secouer la tête, sourire et poursuivre sa course.

Au feu rouge, James la posa à terre et joua la comédie en s'agrippant au lampadaire, le souffle court.

— Ce taco devait peser une tonne, souffla-t-il. Tu es beaucoup plus lourde que dans mes souvenirs.

Outrée, Beth poussa un cri amusé.

— Salaud ! J'espère que tu cours vite.

Il fit volte-face et prit ses jambes à son cou. Malheureusement pour lui, Beth le rattrapa avec une facilité surprenante, bien qu'elle ne soit pas entraînée à l'athlétisme.

Tout en courant, James trouva le ticket de parking dans sa poche et Beth ne parvint plus à se rappeler pourquoi ils couraient. Une fois son Audi chérie récupérée, il ouvrit la portière à la jeune femme et lui présenta sa main quand elle monta à bord. Au lieu de prendre place du côté conducteur, il se fit une petite place tout contre Beth pendant qu'elle mettait sa ceinture de sécurité. Il la dévora en un long baiser.

— Le trajet jusqu'à la maison prend vingt-cinq minutes. S'il te plaît, n'en profite pas pour changer d'avis.

Le sourire aux lèvres, elle glissa une main entre les cuisses de James et frôla son pantalon avec ses ongles.

— Dans ce cas, tu ferais mieux de te dépêcher.

Il n'allait pas comprendre ce qui allait lui arriver.

Dans le pub, James s'était laissé submerger par une poussée d'adrénaline et sa tension sensuelle frôlait le paroxysme tandis qu'il faisait rapidement le tour de la voiture pour s'installer sur le siège passager. Il fit vrombir le moteur et reprit la route.

— Regarde ce que tu me fais subir, j'ai l'érection du siècle à cause de toi, reprocha-t-il à Beth en accélérant.

— Vraiment ? *Dios*, on meurt de chaud dans cette voiture.

Du coin de l'œil, il l'observa ouvrir langoureusement son chemisier. *Je rêve !*

— Tu peux m'expliquer ce que tu cherches à faire, au juste ?

— Mais rien du tout, murmura-t-elle. À cet instant, il se fichait de savoir que la bosse formée sous son pantalon menaçait de faire craquer sa braguette.

— Oh que si ! Tu essaies d'avoir ma peau.

Le plus difficile fut de garder les yeux sur la route, car la jeune femme monopolisait toute son attention. Elle libéra une épaule de son vêtement, puis l'autre, remuant lentement sur son siège.

— Attention à la route, le gronda-t-elle.

Le regard de James se posa toutefois sur son soutien-gorge. *Bon sang !* Serait-il capable de conduire correctement jusqu'à la maison ?

— On garde les yeux sur la route, chantonna Beth.

— Sache qu'une fois qu'on sera arrivés, je te rendrai dingue, je te ferai hurler mon nom, tu me supplieras de te faire jouir.

Silence.

Il lui lança un bref regard. Elle avait une main posée sur son sein qu'elle massait ouvertement. Son attention avait quitté la route une seconde de trop et un Klaxon retentit. D'un coup de volant, il revint sur sa voie et prit la prochaine sortie. Là, il enclencha le régulateur de vitesse et, prenant une profonde inspiration, caressa le genou de Beth avec une délicatesse qui mit sa patience à rude épreuve.

Sa main remonta sa cuisse jusqu'à se glisser dans la fente du pantalon. Concentré sur la route, il se laissa guider par le souffle soudain saccadé de la jeune femme.

— De quoi as-tu envie ? murmura Beth, tapotant du bout des doigts la main de James qui jouait avec l'ouverture du tissu.

— J'ai envie de sentir ton excitation, ton désir pour moi. J'ai envie de te sentir humide. De caresser ton sexe et d'y glisser un doigt, de te sentir te frotter à ma main. J'ai envie que tu me supplies pour que je te libère. Je ne me lasserai jamais de t'entendre crier mon nom. Je te prendrai si profondément que je ne trouverai plus mon chemin pour ressortir.

Il enfouit brusquement la main entre les cuisses de la jeune femme. Après les événements de cette longue journée, il n'avait qu'une envie : la faire basculer sur l'immense lit de l'annexe et passer la nuit à la ravir de plaisir. Et le lendemain soir, il recommencerait, puis le soir suivant. Son désir était insatiable. Lorsque sa main effleura son entrejambe, il sentit la chaleur de sa culotte. Beth poussa un soupir et voulut lever le bassin mais James écarta sa main et caressa sa cuisse.

— Tu vas me rendre folle.

— On est presque arrivés. Nous avons la nuit devant nous, grommela-t-il, surpris par le ton rauque de sa propre voix.

— Tu es sérieux ? Tu veux attendre d'être arrivés ? Je ne suis pas sûre d'en être capable.

Elle promena ses doigts autour de son cou et entre ses seins. De haut en bas, juste pour donner des vertiges à son chauffeur.

D'un simple geste, elle dégrafa les bonnets de son soutien-gorge et rejeta la tête en arrière.

Oh non, je n'y arriverai jamais.

Il sentit la jouissance menacer. À la voir se toucher ainsi, il en perdait la tête. Relâchant sa cuisse, il s'avança sur son siège pour trouver un accès direct à sa poitrine. Il dirigea la climatisation sur ses seins. En réalité, il avait discrètement baissé la température de l'habitacle dès qu'elle avait exprimé combien elle avait chaud. Impossible de ne pas la regarder. Impossible de ne pas se garer sur le bas-côté. Il fit donc les deux, enclencha le frein à main et plongea à la rencontre de son corps, emprisonnant la pointe de son sein entre ses dents.

Un doux gémissement s'échappa de la bouche de Beth et amplifia la fébrilité de James. Elle posa la main sur la bosse de son jean. Comme elle opérait de petits mouvements sur son sexe, il sentit un feu bouillonner en lui.

Il retourna à l'exploration de l'entrecuisse de la jeune femme, et, cette fois, pressa doucement sur son point sensible. Ce simple contact les fit frissonner à l'unisson. Il prenait les choses en main. Tandis qu'il mordillait une dernière fois son téton, Beth roula des hanches.

— Fais-moi jouir, James. Tout de suite.

Ce fut le signal : il retira sa main.

— D'abord, je te ramène, ma belle. Une fois qu'on sera arrivés, je satisferai le moindre de tes désirs.

Il remit le chemisier de Beth en place et reprit le volant. La limitation de vitesse était loin derrière lui quand il décida d'atteindre sa destination le plus rapidement possible. Ce n'était pas le moment pour elle de changer d'avis. Toutes les pensées de James étaient concentrées sur son besoin de se trouver seul à seul avec elle, de s'enfouir en elle comme il en rêvait depuis leur première rencontre. Pas un jour n'était passé sans qu'il fantasme au sujet de cette femme. Il était fichu.

Dans le box de sécurité, un agent avait pris la relève pour la nuit et leur fit signe d'entrer. James éteignit le moteur une fois garé près de l'annexe. Une poignée de secondes plus tard, il était hors de la voiture et se précipitait pour ouvrir la portière à Beth. Elle sortit à son tour et leurs regards se croisèrent un long moment avant qu'elle ne passe les mains autour de son cou pour déposer un baiser d'une tendresse surprenante sur ses lèvres. Frôlant doucement sa bouche, elle glissa la langue à la rencontre de la sienne.

D'une main, James rouvrit le chemisier de la jeune femme et caressa sa poitrine, légèrement, la frôlant à peine. L'effet fut immédiat et Beth se mit à soupirer.

— On y va ? murmura-t-il contre sa bouche avant de la prendre par la main, et ils s'engagèrent sur le petit chemin qui longeait la piscine.

— Oui, dépêchons-nous, je n'en peux plus, répondit-elle en trottinant derrière lui.

Merde. Il s'arrêta net et se tourna vers Beth.

— Je suis sincèrement désolé.

Il lui referma rapidement le chemisier et lui donna un dernier baiser, d'une chasteté révoltante. Elle fronça les sourcils. *Je l'aurais vexée ? Et mince…*

Il lui désigna les chaises longues près de la piscine. Maisie était allongée sur l'une d'elles, profondément endormie, son vieux lapin dans les bras. La pauvre peluche se faisait vieille.

— Je dois la ramener à la maison. Si mes parents la croient partie, ils vont déployer la grande cavalerie, murmura James avant de s'asseoir à côté de la jeune fille, puis il la secoua doucement. Maisie ? Qu'est-ce que tu fais là ?

Elle grogna dans son sommeil.

— Ne t'inquiète pas, ramène-la chez tes parents. Prends soin d'elle.

— Je suis désolé, Beth.

— Ne t'excuse pas, lui sourit-elle, puis elle passa la main dans les cheveux de Maisie et rentra dans l'annexe.

Dans un soupir, James la regarda disparaître dans l'obscurité de la petite maison. Il avait une envie folle de donner un grand coup de pied dans quelque chose.

Il prit sa petite sœur dans ses bras et se dirigea vers la grande demeure. À mi-chemin, elle se réveilla et enfouit le visage dans son cou.

— Jimmy.

— Qu'est-ce que tu fichais au bord de la piscine ? demanda son frère en marchant à grand pas.

— Je pensais que tu rentrerais plus tôt. Quand j'ai dit à Jeffrey où tu étais parti, il m'a dit que tu serais rentré vers 21 heures. Je voulais jouer aux cartes avec toi, mais tu n'es pas revenu.

Jeffrey ? Il était sans doute venu parler affaires avec son père. Logique. Il avait ensuite profité de l'occasion pour venir les retrouver au bar.

La maison était déserte lorsque James porta Maisie jusque dans son lit. Quand il regagna le hall d'entrée, il tomba nez à nez sur Gracie.

— Je viens de coucher Maisie. Elle dormait au bord de la piscine.

— Très bien. Je vais monter m'assurer qu'elle n'a besoin de rien. Justement, je m'inquiétais de la savoir seule alors que vos parents se sont absentés pour la soirée. Elle doit se sentir abandonnée. Heureusement, tout rentrera dans l'ordre après le mariage.

L'écoutant d'une oreille distraite, James ne songeait qu'à rejoindre Beth.

— Merci, Gracie. Je retourne à l'annexe. Si elle se réveille encore une fois, appelez-moi. Elle peut venir dormir avec nous cette nuit, si elle en a envie.

— Très bien. Je vais rester près d'elle le temps qu'elle s'endorme. Bonne soirée, monsieur.

Mais à quoi pensait-il ! Il se tourna vers la porte d'entrée, quitta la maison et reprit le chemin de la dépendance. Les lumières étaient éteintes. Au fond de lui, il espérait que Beth l'attendrait avec deux verres de vin. Mais non.

Il entra dans la pièce à vivre et s'immobilisa pour écouter le silence de la nuit. Où était-elle passée ? L'annexe était plongée dans l'obscurité. Il commença à retirer ses vêtements et se dirigea vers la chambre.

— Beth ? murmura-t-il.

Pas de réponse. Il alluma une lampe. La jeune femme était en sous-vêtements, sur le ventre, endormie sur le lit. *Zut.*

Il resta un moment à la contempler, puis sourit et éteignit la lumière avant de se glisser à son tour sous les draps, à l'autre bout du lit immense. Et voilà, sa sœur venait de gâcher une nuit de sexe torride !

Chapitre 10

Sous le jet d'eau, Beth observa à regret que, en attendant James la veille au soir, elle s'était endormie comme un bébé. À son réveil, le soleil cognait sur la piscine et Beth s'était discrètement glissée hors du lit pour le laisser dormir. Dehors, le fond de l'air était un brin frais mais l'eau de la douche était délicieusement tiède. Elle essaya de ne pas se mouiller la tête pour ne pas avoir ensuite à chercher un sèche-cheveux.

La veille, elle avait eu envie de lui comme jamais. Que lui arrivait-il ? Elle l'aimait beaucoup, manifestement au point de tirer un trait sur les précautions qu'elle prenait d'habitude avec les hommes. À présent, elle était persuadée que ses hormones s'étaient simplement laissé submerger par l'adrénaline d'une soirée mouvementée. Peut-être qu'il avait des regrets. Seraient-ils rongés par la gêne le reste du week-end ? Bon sang !

— Bonjour ma belle, lança James depuis la porte qui donnait sur la douche extérieure.

Beth sursauta. Elle lui tournait le dos et ne put se résoudre à lui faire face, redoutant de lire de la gêne dans son regard. Mais s'il était embarrassé, serait-il venu la retrouver alors qu'il la savait sous la douche ?

— Je peux te rejoindre ?

Non, en effet, la gêne n'avait rien à voir là-dedans.

Silencieuse, elle ferma les yeux. Que faire ? Elle se retourna tout doucement et inclina la tête sur le côté. Une invitation qui ne laissait aucun doute. *Ma réponse est assez claire ?*

En une seconde, il quitta son caleçon et se retrouva avec elle sous le jet d'eau. Tous les doutes de Beth s'envolèrent. D'instinct, elle voulut se couvrir mais James la prit dans ses bras et elle cessa de réfléchir.

Il encadra son visage de ses mains et l'embrassa tendrement. En s'écartant, James perdit son sourire.

— Attends, qu'est-ce que c'est que ça ? demanda-t-il, alarmé.

Il fit un pas en arrière et examina les bras de la jeune femme. Beth redescendit brusquement de son nuage.

— De quoi tu parles ?

— Retourne-toi.

Pourquoi gâchait-il l'ambiance romantique de cet instant ? Elle lui tourna le dos comme il le lui demandait.

— Mon Dieu, Beth. Tu as des marques noires et bleues partout sur les bras. Et ton dos…

Il s'éclaircit la voix.

— Tu as des bleus… partout.

Quand elle se retourna, elle regarda ses bras.

— Ce n'est rien. Je te l'ai dit, c'était un pro. Il a posé le genou contre mes reins et a tiré mes bras en arrière. Je ne pouvais plus bouger. Crois-moi, si je l'avais vu venir…

Elle marqua une pause en frottant ses hématomes comme pour les faire partir.

— Mais je n'ai rien vu du tout. C'est comme ça.

— Je suis désolé, murmura James.

Le sourire aux lèvres, elle voulut s'échapper discrètement vers une autre conversation.

— Désolé à quel point ?

Faisant mine de réfléchir, James eut une étincelle dans le regard.

— Très, très désolé ?

— Sans vouloir me plaindre, je connais quelqu'un qui n'a pas tenu sa promesse hier soir. Je t'ai attendu toute la nuit, désapprouva Beth en faisant la moue, puis elle posa les mains sur son torse. Normalement, un bon soldat n'a qu'une parole, mais peut-être que dans l'armée de l'air…

La prenant par la taille, James l'attira contre lui et enfouit le visage dans sa chevelure. Elle poussa un gémissement. Son corps était dur, chaque partie de lui était ferme et tendue. La sensation de l'eau qui recouvrait leurs corps enlacés laissait sentir à Beth chaque muscle de son corps d'athlète sous son toucher.

— Je me souviens très bien de ce que j'ai dit hier, se défendit-il dans un souffle. Et j'ai bien l'intention de tenir ma promesse, encore et encore…

Après l'avoir embrassée dans le cou, il frôla ses lèvres et ne la laissa pas lui rendre son baiser. Il fit un pas en arrière.

Surprise, Beth l'observa, saisie par un afflux de sang vers chacune de ses extrémités.

— Je veux seulement t'admirer une seconde, expliqua James dans un murmure, observant librement son corps. Tu es encore plus belle que je l'imaginais. Et crois-moi, je t'ai beaucoup imaginée.

— Beaucoup ? gloussa-t-elle comme il revenait à la charge et l'étreignait en prenant soin de ne pas toucher ses hématomes.

— Énormément.

Le regard plongé dans le sien, James approcha doucement son visage. Son baiser fut d'abord tendre, délicat, puis Beth glissa une main derrière sa nuque et entrouvrit les lèvres. Avec un grognement, James l'embrassa alors passionnément. Il s'écarta, reprit son souffle, et attrapa le savon posé sur la partie en bois à l'extérieur de la douche. Les mains recouvertes de mousse, il l'embrassa encore, cette fois en parcourant de ses doigts savonneux ses épaules et sa nuque. Beth se sentit fondre sous son massage sensuel. Il reprit le savon.

— Es-tu vraiment sale ?

Un éclair de malice brilla dans son regard.

— Très, très sale, répondit Beth en imitant James tout à l'heure.

Ce dernier se mit à rire et passa les mains sur son corps, puis il massa ses paumes avec ses pouces. Sous ses grandes mains affairées, Beth était aux anges, impatiente de savoir ce qui viendrait ensuite.

— Tellement sale.

Avec un sourire en coin, elle ferma les yeux, la tête rejetée en arrière, ne se souciant plus de mouiller ses cheveux. D'ailleurs, James retira les épingles une à une et poussa un grognement en regardant sa chevelure tomber en cascade sur ses épaules.

— J'adore tes cheveux, approuva-t-il en prenant le shampoing.

Il chassa une mèche tombée sur sa poitrine qu'il frôla accidentellement, puis ferma les yeux. Sous le regard amusé de Beth, il reprit son souffle, puis se servit une noisette de produit et l'appliqua sur sa tête. Il lui massa doucement le crâne et l'attira contre lui, posa le menton sur son front, et promena ses mains dans son dos jusqu'à l'entendre ronronner.

Le désir la brûlait, elle n'en pouvait plus d'attendre. Rejetant la tête en arrière, elle se dressa sur la pointe des pieds et embrassa son menton, puis mordilla sa lèvre inférieure, y passa la langue, et le sentit pousser un grognement approbateur.

Ses mains quittèrent la pointe de ses cheveux pour venir se poser sur ses fesses, afin de l'attirer contre lui. Elle sentit son sexe dur se presser contre son bas-ventre et remua à peine pour le coincer entre ses cuisses.

— Dis-moi de quoi tu as envie, grogna-t-il contre ses lèvres.

— De toi. J'ai envie de sentir tes mains sur moi, le désir que tu provoques chez moi. J'ai envie de t'appartenir tout entière.

— De bien jolis mots.

James promena ses doigts de ses fesses à sa taille, puis, avec un pied, il lui fit écarter les jambes. Se laissant guider, la jeune femme eut un frisson d'excitation.

Il passa la main entre ses cuisses humides et recouvertes de savon, et caressa son intimité depuis l'avant vers le pli de ses fesses, puis inversement. Des caresses terriblement excitantes. Beth se figea, saisie par une fournaise de désir. Marquant une pause à son tour, James tira à peine sur la pointe de ses cheveux pour lui faire relever la tête.

— Ouvre les yeux, ma belle.

Comme il reprenait ses caresses, elle plongea son regard dans le sien, et ne put retenir ses paupières qui se refermaient de délice.

James retira sa main.

— Ouvre les yeux. Je veux te voir.

Elle s'exécuta avec l'impression que son regard de braise pénétrait jusqu'à son âme. Il la caressa encore.

— Tu es si humide, murmura-t-il.

Plongeant un doigt en elle, il frôla son point sensible avec son pouce et les ongles de Beth s'enfoncèrent dans sa chair. Elle n'avait encore jamais ressenti pareille explosion de sensations. L'orgasme monta en elle, annihilant toutes ses forces, si bien qu'elle crut ne plut pouvoir tenir debout.

— James, *James*.

Il la contempla à l'instant où elle laissa l'extase la saisir, puis se pencha pour l'embrasser mais elle recula d'un pas.

— Prends-moi. Maintenant.

Les mains savonneuses, elle saisit le membre de James, si dur, si doux, et… si lourd. Son pouls continuait de battre à ses tempes et elle approcha son sexe contre le sien, commençant par se caresser avec son extrémité.

— Tu me rends fou, grommela-t-il. Est-ce qu'on a besoin d'un préservatif?

Pour cela, il faudrait patienter, or elle en était incapable. Elle prenait la pilule, et tout soldat en service passait une série de tests réguliers.

— Non, c'est bon, dit-elle.

Sans aucune trace d'hésitation, James souleva la jambe de la jeune femme qu'il laissa reposer sur son coude, et la maintint à la taille pour l'aider à garder l'équilibre, le tout sans cesser de la taquiner avec la pointe de son sexe.

— James, je t'en prie…

D'un seul mouvement des hanches, il entra en elle. Un soupir échappa à Beth qui ajusta sa position, comblée par un sentiment de plénitude.

Il la souleva de sorte qu'elle enroule ses jambes autour de lui. Les talons enfoncés dans ses fesses, elle chercha à se rapprocher au maximum. De sa bouche gourmande, elle dévora ses lèvres en un baiser passionné, désireuse de lui rendre le plaisir qu'il lui procurait. Il poussa un grognement.

Beth avait beau remuer pour chercher la position idéale, elle en voulait toujours plus.

— Fais-moi descendre, ordonna-t-elle dans un souffle.

Il se retira aussitôt.

— Il y a un problème ? s'inquiéta soudain James.

— Non tout va bien, le rassura Beth avec un baiser. Seulement, ça ne me suffit pas.

Les sourcils froncés, il la regarda rejeter sa chevelure par-dessus une épaule et se retourner sans le quitter du regard, les mains à plat contre la palissade, et avec un sourire en coin, elle se pencha en avant et écarta les jambes.

— Oh, putain, souffla James en posant les mains sur sa croupe.

— Je crois que tu as compris le message.

Elle le regarda par-dessus l'épaule saisir son sexe qu'il guida vers le sien, puis il la pénétra en un coup de reins. Ondulant des hanches, Beth trouva l'angle parfait et tourna la tête pour faire face au mur. Les yeux clos, elle se laissa submerger par les sensations : celle du membre de James la pénétrant entièrement, de chaque mouvement, de son corps enflammé de pulsions sensuelles. D'étranges pensées se formaient dans son esprit à mesure qu'elle appartenait à James.

Ses mains viriles parcoururent sa croupe, son dos, l'espace restreint où leurs corps se touchaient. Elle passa une main entre ses jambes et caressa ses testicules. Aussitôt, James accéléra la cadence et se mit à haleter. Elle referma doucement sa main sur ses parties et sentit qu'il la serrait plus fort, ajoutait un brin de violence charnelle à son rapport, puis, dans un frisson, il jouit en elle. Beth attendit une seconde, puis fléchit ses muscles et lui arracha un grondement rauque.

Se redressant doucement, elle s'étira comme un chat. Dans son dos, James l'enlaça, saisit sa poitrine, pressa son corps contre elle et embrassa tendrement la peau douce de son cou. Prise d'un sentiment délicieux de plénitude, elle sourit.

Cette femme drainait toutes ses forces. Elle venait de bouleverser son univers tout entier. James venait d'obtenir ce dont il rêvait depuis plus d'un an et il n'était pas rassasié. Loin de là. Il la voulait encore. Il en voulait plus. Il voulait s'oublier en elle. Si elle bougeait ne serait-ce qu'un peu, il savait qu'il serait de nouveau dur comme la pierre. Beth était comme une énigme. L'énigme la plus sexy au monde. Au moment où elle avait joui, il avait eu ce sentiment qu'elle lui appartenait. Mais à présent, quelques minutes s'étaient écoulées et il savait qu'il devrait recommencer sa cour pour la gagner une nouvelle fois.

Elle se retourna dans ses bras.

— C'était spectaculaire. Merci.

Sur ces mots, elle déposa un chaste baiser sur ses lèvres.

— Merci ? Tu n'as pas à me remercier. Du spectaculaire, je t'en offre quand tu veux.

James se resservit du savon qu'il étala sur la poitrine de Beth, et se réjouit d'observer les pointes se dresser sous ses doigts. Il appliqua le savon sur son ventre, puis entre ses cuisses, sans pour autant s'y attarder. Mais bon sang, elle était brûlante, délicieuse. Comme plus tôt, elle écarta les jambes, cette fois avec un grand sourire. Tandis qu'il parcourait sa féminité jusque sous ses fesses, elle frémit et son regard enjoué se transforma en une expression surprise. Il se mit à rire et Beth lui pinça le bras.

— Si tu essaies de m'exciter, sache que c'est gagné.

— C'est vrai ? grimaça-t-il, en proie à sa propre libido, quand le téléphone se mit soudain à sonner. Mince, c'est la ligne interne. Si je ne réponds pas, ils enverront quelqu'un.

Attrapant une serviette en sortant, il l'enroula autour de sa taille et courut pour décrocher. C'était son père qui souhaitait l'informer du déroulé de cette journée : ce qu'ils avaient prévu pour chaque heure, où James devrait se rendre, qui il rencontrerait. Lorsqu'il voulut évoquer les événements de la veille, son père lui coupa la parole en assurant qu'il prenait les choses en main. Cela ne suffisait pas à James. Ils en rediscuteraient au petit déjeuner.

Tout en prenant note du programme des festivités, il observa Beth qui sortait de la salle de bains, enveloppée dans une grande serviette. Elle s'installa en face de lui sur une chaise longue.

Souriant, James articula silencieusement « mon père » en désignant le téléphone.

Les minutes passèrent et M. Walker ne s'arrêtait pas d'expliquer qui serait présent à la réunion de l'après-midi et qui James devrait saluer. Allongée sur le transat, Beth ouvrit la serviette, dévoilant son corps de rêve et posant une main au-dessus de sa tête. Vision de perfection. Le sourire aux lèvres, il parcourut du regard le corps étendu et s'attarda sur la zone rougie dans son cou où il l'avait longuement mordillée.

— Hm-hm ? fit-il à son père.

— James, tu m'écoutes ? s'insurgea celui-ci. C'est très important pour moi qu'on s'occupe correctement des personnalités présentes à ce fichu mariage. Des collègues de travail et d'importants représentants du gouvernement seront là. Tu devrais en profiter pour te faire des contacts. L'armée de l'air, ça va un temps. En travaillant pour l'état, tu aurais un CV solide et cela t'aiderait à ouvrir la page d'un nouveau chapitre de ta vie.

James regarda Beth droit dans les yeux tandis qu'elle faisait courir une main sur son corps. Il se sentit aussitôt réagir.

— Je ne suis pas sûr de vouloir commencer un nouveau chapitre. Celui-ci me convient très bien.

— Arrête de tout tourner à la plaisanterie.

Elle se toucha la poitrine, entoura son téton, sans détourner le regard du sien, puis se lécha l'index et recommença. James se sentit durcir sous sa serviette.

Son père continuait de parler dans le combiné, mais James avait entendu le même discours des centaines de fois, son attention était donc portée sur Beth et sa main baladeuse.

— Hm-hm, fit-il encore dans le téléphone.

Les doigts de Beth exploraient toujours plus bas, et elle écarta les jambes pour le provoquer un peu plus. Elle était brûlante de désir. À présent, James n'entendait rien d'autre que le battement du sang à ses tempes.

Quand elle se caressa, il ferma à peine les paupières, puis les rouvrit. Elle se mit à remuer sur son siège, glissant son doigt d'avant en arrière, poussant de petits gémissements.

Chacun de ses gestes portait James un peu plus proche de la folie. Il défit lentement sa serviette et lui montra l'effet qu'elle lui faisait. Une étincelle brilla dans le regard de Beth. Lentement, il porta sa propre main à son sexe et le sentit se dresser pour plus de toucher, plus de friction.

Beth écarta encore les cuisses et enfonça un doigt en elle. Il crut exploser en la regardant ainsi faire. Il n'avait jamais vécu de scène si sensuelle. Il n'avait jamais ressenti une telle chose. Cette femme devait faire partie de sa vie. Il avait besoin de son corps, de son esprit, de sa témérité.

— Je dois te laisser, papa. On se voit au petit déjeuner.

Tant pis s'il lui avait coupé la parole, plus rien ne comptait. Il était déconnecté de la réalité.

— Tu commences sans moi, ma belle ? bouda-t-il s'agenouillant à côté de son transat.

— Correction : je vais finir sans toi, s'amusa Beth entre deux souffles.

— Hors de question.

Il l'attrapa par les chevilles et l'attira au bord de la chaise longue. Passant la langue sur la cicatrice à sa cuisse, il lui écarta un peu plus les jambes.

— Je veux te voir, murmura-t-il.

Après avoir libéré son passage au plus près de son intimité, James souffla tout doucement, la faisant frissonner.

— Touche-moi, James…

Ces mots, son prénom qu'elle susurrait avec langueur, eurent presque raison du contrôle qu'il parvenait jusque-là à garder sur ses pulsions.

Du bout de la langue, il taquina le bourgeon de son sexe pour l'amener à son tour aux frontières de la folie. Elle remua sur la chaise longue, sous ses mains, désespérée de sentir sa bouche sur elle. James posa alors la langue à plat contre elle et la ravit sans l'ombre d'une gêne, la maintenant fermement en empoignant ses fesses. Il ajouta ensuite un doigt, puis deux. Le souffle de la jeune femme se fit saccadé, de plus en plus sonore, et elle enfonça les ongles dans ses épaules en se laissant emporter par l'extase. Haletante dans le silence de la pièce, elle crispa tous ses muscles autour de lui et poussa un cri.

Beth sentit tous ses muscles fondre comme neige au soleil et elle se laissa tomber sur le coussin du transat.

— *Madre de Dios,* James.

— J'en déduis que c'était bon ? sourit-il.

— Plus que bon, c'était divin.

Elle s'étendit et lança un regard vers la piscine. Quelque chose attira son attention au coin de son œil et elle tourna vivement la tête. James suivit son regard.

— Qu'est-ce qu'il y a ? Qu'est-ce que tu as vu ?

Il s'approcha vivement de la fenêtre et observa discrètement les broussailles.

Elle eut comme une désagréable sensation au creux de ses reins, une intuition qui l'avait rarement trompée dans sa carrière.

— Quelque chose ou quelqu'un nous regardait.

Un frisson la saisit. Elle se sentait capable de neutraliser une cible définie, ce n'était pas un problème. Mais un espion caché dans les fourrés ?

Impossible d'identifier l'ennemi, et ce n'était pas bon.

— Qui que ce soit, il est parti. Ce devait être un employé qui s'est retrouvé là par hasard. Ne t'inquiète pas, je te protège. Je ne laisserai personne te faire de mal.

Entre combattre au front et avoir un individu dissimulé dans les fourrés qui l'espionnait alors qu'elle était nue, il y avait un gouffre. Mais les mots de James lui apportèrent un sentiment de sécurité. En effet, il la protégerait. Il l'avait déjà prouvé et elle lui faisait plus confiance que jamais. Il était doué : en quelques phrases, il était parvenu à apaiser sa paranoïa.

James lui tendit la main qu'elle saisit et se laissa porter encore sur son épaule. Cette fois-ci, il se permit de lui donner une tape sur les fesses. Elle poussa un petit cri mais ne put retenir un gloussement. Il la porta jusqu'à la chambre, où il tira les couvertures et la laissa rebondir sur le matelas. Ce type était incroyable. Cette matinée était incroyable. La matinée la plus érotique qu'elle ait jamais vécue. Comment faisait-il pour éveiller cette coquine qui sommeillait en elle ?

Il se pencha au-dessus d'elle, le regard d'une intensité désarmante, puis ferma les yeux lentement, comme s'il cherchait à graver cette image à jamais dans son esprit. Il embrassa sa jambe, sa hanche, son ventre et sa poitrine, avant de s'attarder longuement sur sa bouche. Frémissante, Beth le sentit approcher son sexe de ses cuisses et la taquiner lentement pour ne la pénétrer que lorsqu'il eut porté deux de ses doigts dans sa bouche. La sensualité de ces deux actions simultanées était pour elle un délice. Son corps tout entier était pris d'assaut par un brasier de désir. Elle attira son visage tout près du sien pour l'embrasser, abasourdie par la maîtrise et le contrôle dont faisait preuve James dans ses coups de reins.

Les muscles de ses avant-bras forçaient pour empêcher son corps d'athlète d'écraser la jeune femme tandis qu'il ondulait en elle et Beth répondit par un roulement des hanches en cadence.

Il poussa un gémissement.

— James. Tu vas encore me faire jouir, murmura-t-elle, laissant sa voix s'érailler sur le dernier mot tandis qu'il plongeait dans son regard.

— Tant mieux. Mais ce ne sera pas la dernière fois. La journée est encore longue, et…

— Tout comme ta b…

Elle s'interrompit, poussant un soupir lorsqu'il se pressa contre elle. Il devenait impossible de ne pas accélérer la cadence, jusqu'à imploser et crier son nom. James se laissa aller à un rythme frénétique sans jamais la quitter du regard, pour finalement perdre le contrôle de ses pulsions et pousser un long grognement rauque à l'instant même où elle touchait à l'extase.

À bout de forces, James se laissa retomber sur elle, tous deux cherchant à retrouver leur souffle. Une minute passa et il roula sur le côté, maintenant le corps de la jeune femme contre lui pour lui caresser doucement le dos. Beth se perdit dans le regard de cet homme qui lui avait un jour sauvé la vie, avant d'y faire irruption telle une tornade imprévisible, faisant tomber les barrières qu'elle avait érigées autour d'elle. Elle était vulnérable. Une vulnérabilité physique mais également mentale, voire sentimentale. Cela ne faisait pas partie du programme. Elle devait mettre un terme à cette émotivité, et vite.

Inutile de se persuader qu'elle tombait amoureuse de James en l'espace d'une journée. Une telle chose serait ridicule. Certes, le corps entrait en jeu, voire une partie de l'esprit, mais pas plus.

— Tu es un sacré numéro, la taquina James en dessinant un long trait sur son flanc avec le bout de son doigt.

Elle eut un frisson.

— Quel numéro ? s'enquit-elle, reposant la tête sur sa main.

James passa la main dans ses longs cheveux encore humides.

— Tu es unique. Une expérience que je n'avais encore jamais connue.

— Je suis une *expérience* ? Comme un musée que tu visites ? ricana Beth, soudain mal à l'aise sous le regard insistant du jeune homme. Qu'est-ce que tu veux dire par-là ?

Dans un sourire, elle chercha à chasser l'ambiguïté de sa question.

— Je n'ai jamais fréquenté de soldat avant toi. L'armée se dévoile à moi sous un nouveau jour.

Il baissa la tête comme pour esquiver un coup qu'elle n'eut pas la force de lui assener.

Elle se mit à rire et se lova tout contre l'oreiller moelleux.

— Tu veux rejoindre tout le monde pour discuter d'hier soir au petit déjeuner ? Je ne suis pas forcée de t'accompagner si tu estimes que…

— Hors de question de te défiler. Toi aussi, tu es concernée, précisa-t-il en désignant ses hématomes. Et aux yeux de tout le monde, tu es la femme que j'ai choisi d'épouser, tu fais partie de la famille.

— Nos fiançailles te font gagner du temps, mais tu finiras par tomber fou amoureux de moi et tu auras le cœur brisé. Tu seras bien obligé d'arrêter ce petit jeu.

Elle esquissa un sourire espiègle et lui tira la langue, alors que, paradoxalement, son cœur se serra à l'instant où elle prononça ces paroles. Que lui arrivait-il ? Ce n'était qu'un rôle, mais puisqu'elle prétendait vouloir épouser cet homme, une part d'elle pensait lui appartenir. Non. Non, et non.

— Enfin... Je pourrais rencontrer quelqu'un ici, un homme qui serait tout à fait mon genre, même s'il s'agit du traiteur, fit-elle avec un clin d'œil. Ne t'inquiète pas, je serai discrète.

Il lui mordilla le bras.

— Dans ce cas, je garderai un œil sur toi. Je ne quitterai pas d'une semelle. Comme ça, tu ne t'enfuiras pas avec le serveur comme tu as failli le faire avec le marchand de tacos.

Se redressant sur le lit, elle lui lança un regard cynique.

— Tu plaisantes ? C'est toi qui serais parti avec lui si je n'avais pas été là. Si tu avais vu ta tête en prenant ta première bouchée !

Beth poussa un cri lorsqu'un oreiller vola vers son visage, puis elle se précipita vers le dressing pour y choisir des vêtements.

James cria derrière elle :

— Petit déjeuner à la maison dans vingt minutes !

— OK, répondit-elle, mais une main invisible et glacée avait déjà fait fuir la passion charnelle qui l'habitait encore un instant plus tôt.

En effet, l'heure était venue de faire face à toute la famille Walker en s'efforçant de ne laisser aucun souvenir de son passage dans la mémoire du patron de la CIA. Elle baissa les yeux sur ses bras recouverts de bleus.

Aïe.

Chapitre 11

D'un pas lent, ils se dirigèrent vers la maison, main dans la main. Leur lenteur n'était justifiée que par ce début de journée idéal, bientôt gâché par sa famille, songea James. Il les aimait de tout son cœur, mais n'avait rien en commun avec eux, mis à part avec Sadie. Maisie était encore jeune, c'était difficile à dire, mais elle semblait avoir toujours de nouvelles surprises cachées dans sa manche. Un point commun avec leur père, que James espérait voir disparaître à mesure qu'elle grandirait. Beth était resplendissante. Son pantalon de lin noir et son tee-shirt à manches longues dessinaient les lignes musclées de son corps sans laisser voir ses hématomes. Il eut un frisson en songeant à quel point elle avait frôlé une situation véritablement dangereuse. Il l'avait emmenée ici, et on l'avait blessée. C'était sa faute.

Comme lui, elle marchait en silence.

— Est-ce que ça va ? Je te trouve bien calme, s'inquiéta James.

Beth posa les yeux sur leurs mains enlacées.

— Je ne peux pas m'empêcher de penser que ça va mal finir. On fait semblant. Ta famille s'en apercevra tout de suite. Sans compter la sécurité qui sera sans doute renforcée après ce qui s'est passé hier soir. Tu ne crois pas ?

— Vraiment ? On fait semblant ?

Son pouls s'accéléra : considérait-elle sérieusement que ce qui se passait entre eux n'était qu'un jeu de rôles ? Pour elle, ce n'était que pour le week-end ? Dans ce cas, comment lui faire changer d'avis ?

— Nos fiançailles sont complètement fausses. Regarde, même l'alliance me rejette.

Elle lui tendit la main pour lui faire voir l'anneau qui tournait autour de son annulaire, comme s'il cherchait à s'enfuir. *Même pas en rêve.*

— On la fera ajuster à ta taille, suggéra James avant de s'apercevoir que ça n'arriverait jamais. En tout cas, essaie de ne pas la perdre avant dimanche.

— Je fais de mon mieux. Après le petit déjeuner, je mettrai un pansement pour voir si ça ajoute assez d'épaisseur sous la bague. Mais ne t'inquiète pas, je ne l'abîmerai pas.

L'abîmer ? C'était le cadet de ses soucis. Il venait de s'imaginer rapportant l'alliance à Tiffany's, et ça ne lui plaisait pas du tout. Qui a envie d'être ce type qui ramène une bague au magasin ? Qui a envie d'être le type qui ramène l'alliance censée briller au doigt de Beth ? Pourvu que sa famille de détraqués ne vienne pas tout gâcher entre eux. Il avait besoin de passer un week-end calme où ses proches se montreraient sous leur meilleur jour.

Il laissa Beth monter les marches devant lui, puis lui ouvrit la porte et se dirigea par réflexe vers les cris poussés dans une pièce voisine.

En entrant dans le hall d'entrée, Beth fit la grimace.

— Tu crois qu'on devrait attendre la trêve, le temps que ça se calme ? Je déteste pénétrer dans une zone de combat.

— Menteuse, tu adores ça. Tu affrontes les talibans sans la moindre crainte, mais tu as peur d'une petite querelle de famille ?

À peine eut-il terminé sa phrase qu'un énorme choc retentit, suivi d'un cri.

— Je vous déteste tous ! Je m'en vais.

C'était Maisie. Beth hésita.

— On attaque ou on bat en retraite ?

— Et si on adoptait la technique de la diplomatie intelligente par les sentiments ? suggéra James en la guidant jusqu'au salon.

— La diplomatie intelligente par les sentiments ? Je crois que je séchais ce cours-là, à l'école. Tout comme le cours sur le meilleur moyen de se faire des contacts.

Au moment où ils passèrent la porte du salon, Maisie était assise en bout de table, trois assiettes dans les mains, et les brisa en les jetant violemment au sol.

Ses parents étaient également attablés mais semblaient ignorer la crise, un comportement qui aggravait toujours la colère de Maisie. Un psychologue leur avait dit un jour d'ignorer ses accès de rage, et, depuis, son comportement n'avait cessé d'empirer sans le moindre contrôle parental.

— Tu es devenue folle ou quoi, Maisie ? Ramasse tout ce bazar. Ce n'est pas à Gracie de ranger ce que tu as cassé, s'énerva James.

Ses parents la laissaient faire sans se soucier des conséquences sur les employés, et cela avait le don de le rendre fou.

— Ils ne me laissent pas porter mes bottes ! pleurnicha la jeune fille. Je veux porter mes bottes.

— Maisie, tu te conduis comme une gamine de cinq ans, rétorqua James. Tu sais très bien que tes crises ne résoudront rien du tout.

Elle saisit une nouvelle assiette mais Beth s'approcha et la lui prit des mains. Maisie eut l'air totalement décontenancée.

— C'est quel genre de bottes ?

— Hum… Des bottes type motard, elles montent jusqu'au genou. C'est des Doc Martens, précisa Maisie, les sourcils trop froncés pour une fille de son âge.

— Celles dont les lacets remontent sur tout le tibia ?

— Oui, murmura Maisie, décidément surprise.

— Et si on reposait ces assiettes pour que tu me les montres ? J'ai toujours voulu m'en acheter une paire, mais j'ai peur de ne rien pouvoir mettre avec. Viens, tu vas me montrer, fit Beth en se penchant pour ramasser quelques morceaux de porcelaine brisée. Tu fais quelle pointure ?

Maisie se mit à rassembler les bouts d'assiettes à son tour.

— 38,5.

— Ah ! Devine quelle pointure je fais ! s'exclama Beth en riant.

— 38,5 ?

— Tout juste. Tu me laisseras les essayer ?

Elle lui tendit un bras, et comme si elles se connaissaient depuis toujours, Maisie l'accepta et prit la direction de sa chambre.

— On revient tout de suite, lança la jeune femme.

Parfait. James était impressionné, mais il se retrouvait à présent seul avec ses parents, une occasion parfaite pour eux s'ils souhaitaient lui poser des questions qui, d'habitude, seraient censurées par le code de bonne conduite devant une inconnue telle que Beth.

Sa mère se tapota les lèvres avec sa serviette qu'elle reposa sur la table.

— Est-elle enceinte, mon chéri ?

Gagné.

— Je t'arrête tout de suite, maman.

S'il ne lui coupait pas l'herbe sous le pied, il allait se mettre en colère et claquer la porte. Pour ses sœurs, il se devait de garder la tête haute. Détendue sur son siège, elle croisa les bras.

— C'est une question justifiée, après tout. On ne sait rien de cette jeune femme, et du jour au lendemain, vous voilà fiancés.

Bon, elle marquait un point.

— Non, Beth n'est pas enceinte, marmonna James en prenant place à table.

— Connaît-on sa famille ? demanda-t-elle encore.

Il déplia une serviette sur ses genoux.

— Ça m'étonnerait.

Courage, James. Tiens bon. Gracie lui servit un café qu'elle agrémenta d'un sucre et d'un nuage de lait, et il la remercia.

— Et si on parlait de ce qui s'est passé hier soir ? suggéra le soldat.

Son père replia son exemplaire du *New York Times* et lui lança un regard par-dessus les verres de ses lunettes.

— Oui. Simon m'a fait son rapport sur la situation.

Il s'avéra difficile pour James de ne pas lever les yeux au ciel.

— Et ?

— On s'en occupe.

Il reprit son journal et sa lecture.

— Papa. On a attaqué ma fiancée hier soir, et ma sœur a presque été enlevée. Pourrais-tu me donner un minimum d'informations ? En quoi est-ce que vous vous en occupez ?

— Les personnes concernées sont informées, et nous déplaçons la fête du mariage ici.

— Et la cérémonie ?

Son père poussa un soupir et lança à sa femme un regard en coin.

— Même chose. Ta mère s'occupe du mariage, mes hommes s'occupent du reste.

— D'accord. Tiens-moi au courant s'il y a du nouveau. Cette histoire concerne les femmes de ma vie.

D'un air impassible, son père hocha brièvement la tête. James se dit qu'il devrait se satisfaire de cela.

— Rappelez-moi le programme.

Hors de question de les laisser le réduire à l'état de petit garçon, sans compter son intention ferme de garder Beth en dehors de la conversation.

— Vers midi, nous organisons un petit cocktail pour les amis proches et la famille, ensuite nous pourrons nous rendre au repas de répétition. Nous n'aurons pas plus besoin de toi aujourd'hui. Demain, nous te laisserons aussi tranquille jusqu'au mariage à midi.

Sa mère parlait avec un ton monocorde comme si elle dictait un itinéraire.

— Quand tu parles de « petit cocktail », c'est vraiment petit, ou petit façon Walker ?

Elle le regarda d'un air ahuri, comme si elle le voyait pour la première fois de sa vie. James avait l'habitude d'être ainsi observé par sa mère depuis les dix dernières années. Elle ne comprenait toujours pas pourquoi il avait préféré l'armée plutôt que Harvard et une carrière en politique. Puisque sa mère refusait ses choix, il avait décidé de cesser de se justifier.

— Combien de personnes ? précisa-t-il.

— Oh, pas plus de cinquante pour l'apéritif. Finalement, la répétition se fera ici, et nous irons ensuite au *Jamison*.

Le célèbre restaurant de Washington.

— Ton père s'est assuré que la sécurité nous suivra tout au long du programme pour qu'on puisse rester sereins. N'est-ce pas, chéri ?

— Exact, acquiesça son père derrière son journal.

Un silence de quelques secondes s'installa, pendant lequel James pria pour le retour de Beth. Mais elle ne vint pas.

— Alors, lança sa mère. Tu épouses vraiment cette fille ?

— Cette fille, maman ? Tu parles de ma fiancée ? demanda-t-il d'un ton dur

— Ne le prends pas comme ça. Tu sais bien que Sadie a invité Harriet pour toi dans l'espoir que vous vous remettiez ensemble.

James éclata de rire.

— Maman, je trouve que tu t'avances un peu. C'est sa meilleure amie, bien sûr que Sadie l'a invitée, ça n'a rien à voir avec moi. Crois-moi, elle n'a pas la moindre intention de se remettre avec moi. Tu imagines des choses.

— Faux, mon chéri. Est-ce si fâcheux de vouloir caser son fils avec une femme qui lui correspond en tous points ? Et puis, nous n'aurions jamais deviné que tu allais débarquer avec une fiancée. Comment aurait-on pu le savoir, tu ne nous en as jamais parlé !

— Je t'en prie, maman, ne te mêle pas de mes histoires. Je l'aime et j'ai l'intention de l'épouser.

Tandis que les mots quittaient sa bouche, à cet instant précis, il eut envie qu'ils soient sincères.

— J'ai bien peur que tu doives l'expliquer à Harriet. Elle s'attend à tomber dans tes bras.

Tout en parlant, sa mère touillait soigneusement son thé sans jamais frôler le bord de la tasse avec sa cuillère. Puis, elle posa la cuillère sur la soucoupe, ramena ses mains sous son menton et lui lança un regard calculateur.

— J'ai présenté Harriet à Beth hier, ajouta-t-il. Elle n'a pas l'intention de se remettre avec moi. Elle n'y pense pas du tout.

Au moins, s'il était sûr d'une chose, c'était bien celle-ci.

— Et moi, je suis sûre que tu te trompes. Cette jeune fille n'a jamais vraiment su ce qu'elle voulait. Elle n'a pas de parents, le moins qu'on puisse faire est encore de prendre soin d'elle, ajouta-t-elle d'un air théâtral. Harriet m'a dit que tu achetais beaucoup de vêtements dans les magasins, cela me donne quelques soupçons. Mais quoi que tu dises, souviens-toi que l'horloge tourne. Bientôt, tu n'auras le choix que parmi des divorcées. Personne n'a envie d'une telle situation.

James se pinça le nez et prit une profonde inspiration.

— Maman. Je veux seulement passer un agréable week-end en famille. Je veux que vous aimiez Beth autant que je l'aime, et si vous vous comportez correctement, je pense même vous inviter à notre mariage en petit comité en

Caroline du Nord. Vous viendrez, serez courtois, et l'accueillerez dans la famille. Est-ce que c'est clair ?

— Si tu le dis, James.

Cette réponse était tout sauf la sincérité. Quant à son père, il n'avait même pas pris part à la conversation, le nez plongé dans son journal.

Si seulement Beth pouvait revenir. Il avait faim mais ne voulait pas manger sans elle. Et puis, sa présence mettrait un terme à cette discussion une bonne fois pour toutes. Devant le regard de sa mère, il redevenait le petit garçon de six ans qui se met à table pour dîner alors qu'il a les mains couvertes de terre.

Voilà pourquoi il n'avait jamais eu l'intention de se rendre au mariage de Sadie.

Maisie guida Beth dans ce même escalier que Mme Walker avait descendu avant de prendre Beth pour une des bonnes de la maison. Le souvenir la fit sourire.

Au deuxième étage, l'escalier menait à un croisement offrant deux possibilités : à gauche ou à droite, chaque choix proposant une série de portes jusqu'au bout des couloirs.

Maisie prit à gauche et passa la première porte.

— C'est la chambre de Sadie quand elle rentre à la maison, l'informa-t-elle, puis elle désigna une porte en face, un peu plus loin. Celle-ci, c'est la chambre de James. Tu l'as déjà vue ?

— Pas encore, répondit Beth. Mais ce dont j'ai hâte, c'est de voir tes bottes.

Bonne réponse. Maisie gloussa.

— Cool. Ma chambre est ici, lança-t-elle en la poussant sur le côté pour lui passer devant et ouvrir la porte.

La pièce était immense avec trois doubles fenêtres sur toute la longueur, qui donnaient sur les jardins à l'avant de la maison. La vue portait jusqu'à la cabine de l'agent de sécurité. Les murs d'un gris métallique étaient recouverts de posters de groupes de rock.

Au bout de la chambre, loin de l'entrée, s'ouvraient deux autres portes : une salle de bains et un placard. Beth le devina aisément puisque deux serviettes mouillées étaient étalées sur le sol de la première pièce, tandis que des paires de chaussures et des livres jonchaient le sol de la deuxième, empêchant la fermeture de la porte. Maisie lui rappelait vraiment Tammer au même âge. Son cœur se serra.

— Elles sont là, dit Maisie en fouillant dans les draps de son lit.

— Tu as dormi avec ? s'exclama Beth en riant.

— Je ne voulais pas qu'elles soient abîmées avant le mariage. Enfin, j'ai l'impression que je n'aurai pas le droit de les porter, de toute façon.

Elle le dit avec une telle tristesse que Beth ne put s'empêcher de compatir. Tammer était la même, toujours à se mettre en colère alors qu'il suffisait de porter un peu attention à ce qu'elle disait pour la calmer. En observant les parents de James, elle se demanda s'il ne valait pas mieux être orphelin plutôt que d'avoir des parents trop occupés pour s'intéresser à leurs enfants.

— Tu sais ce que je ferais ? murmura Beth sur le ton du complot.

— Non ? renifla Maisie en regardant la jeune femme caresser doucement les bottes.

— Est-ce que ta robe de demoiselle d'honneur descend jusqu'aux pieds ?

— Oui, acquiesça l'adolescente, défaisant lentement les lacets.

— À ta place, j'accepterais de porter ce que tes parents t'ont choisi, et juste avant la cérémonie, je mettrais les bottes. Personne ne les remarquera, et de toute manière, ce sera trop tard pour changer.

Elle savait que ce n'était pas un conseil raisonnable, mais Maisie lui rappelait tellement sa petite sœur qu'elle avait envie de lui faire plaisir.

— Oh, ouais ! Excellente idée ! C'est ce que j'aurais fait, de toute manière.

Elle renifla encore et lança un regard en coin à Beth.

— Je n'en doute pas, affirma celle-ci. Comme ça, il n'y aura plus de dispute et tu pourras leur dire que je t'ai autorisée à les porter. Ils n'oseront rien me dire, je suis une invitée.

Pourvu que ce soit vrai. En tout cas, au moins l'un des adultes de la famille allait lui passer un savon.

— Est-ce que tu vas épouser James ? demanda Maisie après un silence.

Oh, non ! Elle n'avait pas du tout envie de lui mentir. Que faire…

— Tu serais d'accord que j'épouse ton frère ?

— Je suppose, marmonna-t-elle avant de marquer une longue pause. Tu veux essayer mes bottes ?

— Avec plaisir !

Attrapant la première, elle y glissa un pied. La botte était parfaitement à sa taille. Beth ne mentait pas lorsqu'elle disait vouloir une paire de ce genre. Elles faisaient rebelle, pas étonnant que Maisie les adore.

Quand elle eut lacé la seconde, elle descendit les jambes de son pantalon par-dessus et marcha quelques mètres devant la jeune fille.

— Elles me vont bien ?

— Oui, elles sont super ! s'exclama Maisie.

— Mets-les, montre-moi ce que ça donne sur toi, proposa Beth, consciente qu'elle cherchait seulement à repousser le moment où il faudrait retourner en bas.

L'estomac de Maisie se mit à grogner.

— Tu préfères peut-être descendre pour prendre le petit déjeuner ? Je suis affamée, moi aussi, suggéra Beth, encouragée par le hochement de tête de la jeune fille. Qu'est-ce qu'on mange, ici ?

— L'omelette de Gracie au jambon et au fromage est délicieuse. Dorée sur les côtés, toute molle au milieu.

— Ça me paraît parfait. On rejoint les autres ?

Lorsque Beth et Maisie reparurent dans la salle du petit déjeuner, elles furent accueillies par un silence de glace. Mais toutes les deux sourirent à James, qui fut soulagé par leur retour.

— Vous avez faim ? lança-t-il en se levant pour tirer leurs chaises.

— On est affamées ! répondirent-elles en chœur avant d'éclater de rire, puis Beth reprit : Je tiens de source sûre que Gracie prépare d'incroyables omelettes.

James se rassit, soudain calme et détendu.

Grâce à leur présence, la conversation reprit un ton léger au sujet du mariage et des convives invités par sa mère parmi ses anciens camarades de classe. Il se demanda combien d'invités Sadie et Simon connaissaient vraiment. Sa pauvre sœur devait déplorer d'avoir tant d'inconnus à son propre mariage.

Lorsque les dernières bouchées furent englouties, tout le monde quitta la table pour laisser le personnel débarrasser. Maisie insista pour leur montrer les W.-C. chimiques installés dehors. James n'était pas emballé par cette idée, il n'avait que trop connu ces installations lors de déploiements à l'étranger et se demandait d'ailleurs ce que les invités allaient en penser.

Comme ils se dirigeaient dehors, son père prit soudain Beth par le bras.

— Puis-je échanger un mot avec ta fiancée ? demanda-t-il à son fils.

— Papa, elle ne m'appartient pas. Si tu veux lui parler, c'est à elle qu'il faut le demander. Pas à moi.

À cet instant, il comprit qu'il aurait dû refuser, mais étant spontanément agacé par l'attitude de son père vis-à-vis des femmes qui, d'après lui, appartiennent à leurs hommes, il n'avait pas pensé à saisir l'occasion de répondre pour elle. L'idée de Beth se retrouvant seule avec son père lui fit froncer les sourcils. Pourvu qu'elle dise non.

— Bien sûr que vous le pouvez, répondit-elle. Je te rejoins dans une minute, James.

Ce dernier quitta la maison avec sa petite sœur mais s'arrêta dans l'escalier pour jeter un coup d'œil par la fenêtre du bureau de son père. Non. Il ne devait pas s'en mêler. Beth saurait dire et faire ce qu'il fallait.

— C'est parti, petite capricieuse, montre-moi ces superbes W.-C.

Maisie le prit par la main et l'accompagna jusqu'aux grandes tentes déployées dans le jardin et menant à un tapis rouge. Il n'y avait que sa mère pour désigner l'accès aux commodités par des tapis rouges.

Au lieu de toilettes de chantier auxquelles James s'attendait, il découvrit de véritables salles de bains installées dans de petites caravanes, dix en tout, disposées en arc de cercle à la manière d'un ancien motel américain.

— Waouh. Ce sont vraiment des toilettes ?

— Regarde à l'intérieur ! s'exclama Maisie.

Il ouvrit l'une des portes et découvrit une décoration de marbre et de cuivre. Sa propre salle de bains, dans son logement temporaire, faisait pâle figure comparée à ces caravanes.

— Eh ben, mince ! C'est encore mieux que chez moi. Tu crois que je pourrais en tracter une avec mon Audi ?

Maisie pouffa de rire et s'amusa à tirer la chasse et à faire couler l'eau des robinets comme si elle découvrait l'eau courante pour la première fois. Il y avait même un fauteuil en forme de cœur dans un coin. Au moins, cela lui faisait une cachette où se faufiler pour fuir les pires épisodes du mariage. Lui et Beth. Sur le fauteuil en cœur. Il secoua la tête. Ce qui devait l'inquiéter, c'était la conversation qu'elle avait avec son père à cet instant précis. Parvenait-elle à jouer son rôle devant lui ?

— Viens, petite râleuse. On rentre. Je ne veux pas abandonner Beth.

— Tu as raison, moi non plus, acquiesça la jeune fille en éteignant les lumières à regret.

En arrivant devant la maison, James lança encore un coup d'œil par la fenêtre du bureau. Cette fois-ci, son père était debout et tendait un document à Beth. Il plissa les yeux. De quoi s'agissait-il ? Elle prit le papier et le regarda longuement.

Le sang lui monta à la tête lorsqu'il comprit. Oh, non ! Pas encore ! Ce salaud payait pour leur rupture. Il avait fait la même chose avec l'ex de Sadie, avant qu'elle ne sorte avec Jeffrey. Le souffle court, il observa la scène. Elle sourit à son père. Allait-elle accepter cet argent ? Il se sentit soudain confus, voire furieux. Elle pouvait l'accepter, puisqu'ils n'étaient pas vraiment fiancés. Mais cela en dirait long sur elle.

Et merde !

Beth n'en croyait pas ses yeux. Elle lut et relut la somme griffonnée sur le chèque. Cinq cent mille dollars pour quitter James. *Qu'est-ce que c'est que cette histoire ?*

— Avant d'écrire votre nom sur ce chèque, je dois m'assurer que vous n'êtes pas enceinte. Si vous portez mon petit-fils ou ma petite-fille, les choses vont considérablement se compliquer pour vous. James nous a assuré que vous n'étiez pas enceinte, mais je tiens à l'entendre de votre bouche.

James a fait quoi ? Un flot d'émotions l'envahit comme autant d'eau bouillante. De la colère pour James, mêlée à de la pitié, de la pitié pour cette famille persuadée de savoir qui il fallait à leur fils. Elle plaignait sincèrement la pauvre fiancée que James se trouverait un jour. Malgré sa fureur, elle parvint à garder son sang-froid. Elle réfléchit aux options qui s'offraient à elle. Si elle racontait cela à James, il en aurait le cœur brisé. Le mariage de Sadie deviendrait un véritable cauchemar, or la future mariée était suffisamment stressée comme cela. Elle en parlerait à James sur le chemin du retour.

Peut-être. Beth resta silencieuse aussi longtemps que possible mais crut sentir de la fumée s'échapper de ses oreilles. Tant pis pour sa résolution de faire profil bas devant M. Walker, elle ne disparaîtrait pas de sa mémoire.

— Je ne peux pas l'accepter, dit-elle calmement en lui rendant le chèque.

— Vous voulez plus ? Sachez une chose : si vous épousez mon fils, il sera exclu de l'héritage de cette famille. Vous ne toucherez pas un centime de lui, ce ne sera pas votre mine d'or, votre vache à lait.

— James n'est pas une vache à lait ! Qu'est-ce qui vous prend ? Ne voyez-vous pas l'être exceptionnel qu'est votre propre fils ? C'est un héros. Il est drôle, gentil... Vous ne le voyez donc pas ?

Le directeur Walker leva les yeux au ciel.

— Un héros ? Vraiment ? Il passe ses journées derrière un bureau à Fort Bragg. Je n'arrive même pas à le convaincre de grimper les échelons jusqu'au Pentagone, or c'est là que sont prises les vraies décisions. Il me fait honte, mais au moins, il ne livre pas de pizzas.

Il ne livre pas de pizzas ? Beth vit rouge. Ce type pensait que se battre au nom de son pays revenait à livrer des pizzas ? Décidément, il ne savait rien de son fils. Il ne connaissait même pas la différence entre Fort Bragg et Pope Field. Bon sang. Elle se retrouvait coincée... Une pensée lascive la saisit et elle s'imagina à califourchon sur James. Secouant la tête, elle reprit le contrôle de cette atroce situation.

— C'est votre dernière chance, clama fièrement le directeur. Si vous refusez cet argent maintenant, si vous quittez cette pièce et répétez notre conversation à James, vous êtes fichue. Je serai votre ruine. Pas au sens propre, peut-être, mais dans cinq ou dix ans, vous pourriez trouver compliqué de renouveler vos papiers administratifs, ou de prendre l'avion. Comprenez que je ferai tout ce qui est en mon pouvoir pour débarrasser ma famille de saletés de profiteurs.

Beth envisagea un instant de sauter sur le bureau et de lui donner un bon coup de pied entre les jambes. Mais elle avait une fausse identité à défendre. Ce n'était pas sa bataille. Ni sa famille. Avec un peu de chance, elle se sortirait de ce week-end en laissant un minimum de traces dans cette famille de détraqués. Sa seule tâche était de tenir jusqu'à la fin du mariage. Ensuite, elle pourrait régaler Tammer des détails du feuilleton Walker.

— Je vous promets une chose : je prends votre chèque et je ne dis rien à James. Si je suis aussi mauvaise pour lui que vous semblez le croire, vous ne devriez pas douter que je m'empresserai de l'encaisser et de quitter votre fils. Pas vrai ?

Elle ne savait pas si son plan allait fonctionner ou non, mais c'était la meilleure solution pour garder la situation au calme pendant les deux jours à venir.

Le directeur fronça les sourcils comme s'il cherchait à y voir clair dans son jeu, puis tripota son stylo, signe qu'il marchait dans son jeu.

— En échange, promettez-moi de me laisser tranquille. Marché conclu, M. Walker ?

Beth se demanda s'il n'allait pas prendre ses empreintes digitales et espéra qu'il agirait en bonne conscience puisqu'il s'agissait d'une histoire de famille. Pourvu qu'il agisse honnêtement, car s'il usait de son autorité sur le plan personnel, cela prouvait qu'il était enclin à abuser de son pouvoir. Or elle refusait d'intégrer une entreprise gérée par un escroc, et cela changerait son avenir professionnel. Elle préféra se convaincre qu'il utilisait seulement la menace de son influence pour effrayer une jeune femme qui ne savait pas où elle mettait les pieds.

— À quel nom dois-je adresser le chèque ? dit-il en retirant le bouchon de son stylo-plume.

Un silence.

— Beth Cojones, répondit-elle spontanément en articulant Co-Jones. Je vous l'épelle : C-O-J-O-N-E-S.

Le directeur Walker gribouilla son nom sur le chèque en lui lançant un regard par-dessus les verres de ses lunettes.

— Je dois admettre que je vous croyais plus dure en affaires. Que faites-vous dans la vie ?

— Je cherche à la rendre aussi agréable que possible, rétorqua Beth en lui prenant le chèque des mains.

— Vous êtes une belle femme, mademoiselle Cojones. Je comprends que mon fils ait des vues sur vous. Mais vous auriez pu vous douter qu'un mariage au sein de cette famille n'aurait jamais fonctionné.

Il méritait un bon coup de pied dans les *cojones*.

— Ce fut un plaisir, monsieur.

Beth plia le chèque en un petit carré qu'elle glissa dans la poche de son jean, puis elle lui tendit la main. Dès qu'il la saisit, elle le tint fermement sans le relâcher.

— Si seulement vous connaissiez mieux votre fils. Comme tout le monde, vous l'apprécieriez à sa juste valeur. Profitez qu'il soit là ce week-end pour lui parler, demandez-lui quelles sont ses ambitions, où il veut travailler, quel homme il souhaite devenir. Vous pourriez être surpris.

— Je n'aime pas les surprises, mademoiselle Cojones. Et vous feriez bien de vous en souvenir.

Merde. Elle hocha la tête, lâcha finalement sa main, et quitta la pièce. En refermant la porte derrière elle, elle poussa un soupir de soulagement. Ce fut laborieux. Sa carrière au sein de la CIA resterait peut-être un simple fantasme, finalement.

— Qu'est-ce qu'il voulait ?

Levant les yeux, elle aperçut James, appuyé contre le jambage dans la salle de réception.

Ouf, un allié.

— Rien. Il voulait seulement m'accueillir dans la famille. C'était gentil de sa part. Et toi qui t'inquiétais ! Où t'a emmené Maisie, finalement ?

Il fut silencieux une seconde, puis lui tendit la main.

— Elle m'a montré les toilettes de chantier, dehors. Elles font meilleure figure que mon propre appartement, ce qui a tendance à m'agacer. Maisie est tellement fascinée que je la soupçonne de réquisitionner une cabine pour elle toute seule. Demain, on ne la verra pas de la journée.

Beth rit doucement.

— J'ai hâte de voir ça. Je suis sûre que mes propres W.-C. ne ressemblent à rien à côté de ceux-là.

— Viens. On est libres jusqu'au cocktail.

James lui fit signe de sortir la première et l'examina comme elle passait devant lui. Il semblait tendu. Ce devait être ce lieu. À présent, elle comprenait mieux pourquoi il avait quémandé son soutien pour le week-end.

— Et si on allait se baigner dans la piscine ? Tu penses qu'on peut lézarder au soleil toute la matinée ? s'enquit-elle, prise d'un vif besoin de se retrouver seule avec lui.

— Pourquoi pas, lâcha James en traversant la pelouse en direction de l'annexe.

La jeune femme quitta ses sandales et trottina pour le rattraper.

— Est-ce que ça va ? s'inquiéta-t-elle en posant une main sur son bras.

Il tapota ses doigts d'un air absent.

— Oui, pourquoi ça n'irait pas ?

Très bien, elle abandonnait pour cette fois. Quel détachement. Une entrée cordiale et une sortie en bons termes, voilà ce qu'elle tirait de son entrevue avec le père de famille. James n'avait pas menti en décrivant ce lieu comme une maison de l'horreur, mais il ne devait pas se sentir responsable du comportement de ses parents. Peut-être devrait-elle lui parler du chèque ? Il en rirait sûrement. Quoique, peut-être pas. D'après le peu qu'elle savait de James, il était capable de retourner en trombe dans la maison et de donner une bonne raclée à son père. Ensuite, il s'en irait.

Tout ça n'apporterait rien de bon à Beth. Ni à l'entente au sein de la famille Walker, d'ailleurs. Elle n'aurait jamais pensé être un jour heureuse de n'avoir aucun autre parent que Tammer dans sa vie.

Nombreux étaient les gens qui rendaient visite à leur famille avec une boule au ventre. Parfois, elle avait même le sentiment que certains soldats ne s'étaient enrôlés que pour établir une distance entre eux et leurs proches, comme s'ils fuyaient la claustrophobie du cocon familial. De son côté, Beth aurait rejoint l'armée plus tôt si elle avait pu.

James la tira de ses pensées.

— Je suis désolé. Je ne pensais pas qu'on se sentirait aussi oppressés par ma famille. Parfois, j'ai l'impression qu'il me suffit d'entrer en contact avec eux, ne serait-ce que le week-end, pour me sentir emprisonné par un fil barbelé dont je ne peux pas m'échapper sans que ça ne finisse en bain de sang. J'en ressors en lambeaux, eux aussi, et maintenant...

— Moi ? Ne t'inquiète pas, je saurai me défendre. Souviens-toi qu'il nous reste deux jours à tenir. Ensuite, on rentre chez nous et tout ça sera du passé, dit-elle pour le rassurer, mais ses paroles sonnaient faux. En tout cas, tes *proches* seront derrière nous.

— Je regrette de t'avoir attirée là-dedans. On se serait plus amusés à grimper.

Il sortit ses lunettes de soleil de sa poche et les chaussa comme pour se cacher.

Beth détourna le regard et plongea dans le silence. Ce qu'il venait de dire tombait telle une pierre dans son estomac. Il regrettait tout cela ? Leur... intimité ? Elle s'était mise à nue devant lui – dans tous les sens du terme – et voilà ce qu'il en pensait ? Il la rejetait. Quelle idiote... Voilà pourquoi elle ne laissait jamais aucun homme l'approcher.

— Les choses auraient été plus simples si je n'étais pas venue, murmura-t-elle. Franchement, si tu veux que je m'en aille, tu n'as qu'à le dire. Je ne le prendrai pas mal. Je peux disparaître, te laisser passer du temps avec Harriet, ce qui rendra tes parents heureux, et rentrer chez moi en Caroline du Nord après la cérémonie. Une journée, cinquante bières, et tout ça ne sera qu'un vieux souvenir.

— Tu es sérieuse ? Dix minutes avec mon père, ça te suffit à prendre la poudre d'escampette ? Comme c'est bizarre, lança James avant de marquer une pause. Qu'est-ce qu'il t'a dit, Beth ?

Une crainte inexplicable la saisit à la gorge. Il semblait au courant de la proposition de son père. Non, impossible.

— Tu viens de dire que tu regrettes que je sois là. Je te simplifie la tâche, c'est tout.

Un torrent d'émotions lui donna des vertiges : de la pitié pour James qui avait souffert de cette famille jusqu'au moment de prendre son envol, et de la colère mêlée à de l'inquiétude car elle avait peut-être gâché ses chances d'entrer dans la CIA à cause de ce fichu week-end.

Si seulement elle pouvait prendre ses jambes à son cou. Jusqu'à présent, elle avait toujours fui les complications comme la peste. Elle avait son travail, dans lequel elle excellait, elle avait sa maison où l'attendait son chien Jubilee, et parfois Tammer. Une vie sans drame, sans crainte, et sans stress. Et elle se retrouvait plongée dans une situation aux antipodes de son petit bonheur. James était furieux et se demandait ce que lui avait dit son père. Elle avait menti en racontant que M. Walker l'avait simplement accueillie dans la famille, James ne la croirait jamais. Mais que pouvait-elle faire d'autre ? Elle avait accepté de donner un coup de pouce à un homme qui lui avait sauvé la vie en mettant la sienne en danger. Beth était prête à tout pour lui offrir le week-end qu'il espérait. Ainsi, sa priorité restait la même : elle irait dans le sens de James et lui donnerait ce dont il avait besoin. Leur plan devait à tout prix fonctionner.

— Franchement, Beth. Tu préfères que j'aille lui demander moi-même ?

Ils empruntèrent le petit chemin qui menait à la piscine. Le soleil se reflétait sur l'eau et donnait la sensation qu'ils étaient de retour en Afghanistan au plein mois d'août.

Une seule solution : détourner son attention.

— Tu peux, si tu veux. Mais il te dira de me poser la question directement.

Lui prenant la main, elle le guida à l'intérieur de la petite dépendance. Hors de question de se déshabiller pour l'espion qu'elle avait aperçu dans les broussailles ce matin-là.

Dès que la porte fut refermée derrière eux, elle commença à retirer son pantalon. James se figea sur place.

— Qu'est-ce que tu fais ? demanda-t-il d'une voix rauque.

— Il fait trop chaud. Et tu as besoin d'oublier un peu ton père.

Elle laissa glisser le pantalon par terre, puis se retourna pour le ramasser. Ainsi, comme elle se penchait en avant, il eut une vue imprenable sur sa croupe.

Terriblement efficace.

Avant qu'elle n'ait le temps de se redresser, James avait les mains sur ses fesses et tirait sur la fermeture Éclair de son haut. Le vêtement glissa sur ses épaules et il eut le souffle court en s'apercevant qu'elle ne portait pas de soutien-gorge. Il se pressa contre elle et saisit sa poitrine à pleines mains. Elle frissonna.

Après une dernière caresse sur ses seins, James la fit retourner. Déjà, il était à genoux devant elle et tirait sur sa culotte. Quand le sous-vêtement fut autour des chevilles de Beth, il lui fit lever un pied, puis l'autre, le retirer sans qu'elle quitte ses talons hauts. Il posa sa langue contre son sexe et s'y attaqua sans détour. De toute évidence, il était encore en colère.

Prise d'une bouffée de chaleur, Beth sentit sa peau pétiller comme si elle baignait dans un verre de champagne. Elle s'agrippa aux épaules de James pour garder l'équilibre. Il se redressa brusquement et la saisit par les bras.

— Goûte-toi, lâcha-t-il avant de l'embrasser avec une fougue presque bestiale.

Elle sentit ses genoux se dérober sous la puissance de ces mots et constata l'effet de la langue de James un instant plus tôt. Il fit courir ses doigts sur le corps en alerte de la jeune femme, trouvant rapidement son clitoris, comme pour la punir. Elle poussa un soupir. Au bord du précipice, elle enfonça les ongles dans ses épaules comme James glissait les doigts en elle, brutalement, rapidement, sans cesser de frôler son point sensible avec son pouce.

— Jouis pour moi Beth. Tout de suite.

Il la mordilla dans le cou et un mélange de douleur et de plaisir la mena doucement vers l'extase.

Elle aurait voulu crier son nom, mais James la fit taire par un baiser fébrile. Elle se sentit frémir, gonfler de jouissance, mais il n'abandonnait pas la partie. À présent, il la caressait tendrement, sans jamais s'arrêter.

Beth avait besoin de sentir son corps nu contre elle. Elle lui retira sa chemise puis s'immobilisa une seconde avant de s'attaquer à la braguette de son jean.

James était figé telle une statue. S'il faisait le moindre geste, il deviendrait incontrôlable. Sa colère était si prégnante envers son père, envers Beth. Il voyait clair dans son petit jeu : elle n'avait retiré son pantalon que pour le distraire.

Honnêtement, il ne pouvait pas lui en vouloir. Son inquiétude était ailleurs. Pouvaient-ils avoir un avenir ensemble après ce désastre ? Il refusait de voir les conséquences de la décision qu'avait prise Beth en acceptant l'argent de son père. Avait-elle vraiment accepté ? Il n'osait pas lui poser la question. James serait alors forcé de constater que son père était parvenu à contrôler sa vie privée. En même temps, il avait besoin de le savoir. Que se passait-il dans la tête de Beth ? Elle était forte, indépendante, et James la savait capable de faire la part des choses, de refermer la porte sur lui et leur histoire une fois qu'elle serait rentrée chez elle en Caroline du Nord.

En tout cas, pour l'instant, elle lui retirait son pantalon. D'un coup de pied, James quitta ses chaussures et se débarrassa du vêtement. Son érection formait une bosse sous son caleçon. Serait-il un jour rassasié de cette femme ?

Beth fit un pas en arrière. Son corps magnifique était baigné d'une lumière blanche qui se reflétait sur ses épaules et sa poitrine. Ses talons allongeaient indéfiniment ses jambes de mannequin. Magnifique. Tellement sexy.

Et puis, il se souvint de la personne qu'elle avait cru apercevoir dans les fourrés ce matin-là. Il ne doutait pas de ce qu'elle avait vu, son instinct ne la trompait jamais. Pris d'un frisson glacial, James redouta qu'une autre personne l'ait vue comme elle s'était dévoilée à lui.

Une simple pression sur un interrupteur et des stores romains dans les tons beiges descendirent du plafond et recouvrirent entièrement les portes-fenêtres.

— Tu n'aurais pas pu le faire ce matin ? lui reprocha-t-elle, dans sa nudité assumée, les poings sur les hanches.

— J'avais d'autres choses en tête, admit James en s'installant sur la chaise longue qu'ils avaient occupée plus tôt dans la journée.

Se penchant sur lui, Beth déposa un baiser sur sa blessure par balle. Elle frôla la cicatrice avec sa langue, un contact aussi brûlant que l'acier en fusion. Il voulait la toucher, lui caresser les cheveux, mais ne faisait pas confiance à son self-control.

Elle embrassa la zone sous sa blessure et taquina l'élastique autour de sa taille avec ses dents. En le provoquant ainsi, elle lui brouillait les pensées.

Ses baisers explorèrent son ventre, son nombril, son tatouage sur le côté gauche. Et puis, sans prévenir, elle souffla une bouffée d'air chaud sur son sexe à travers le mince tissu de son caleçon. James crut imploser.

Tirant sur le vêtement, Beth le déshabilla lentement. Nus. Ils étaient tous les deux nus, baignés des rayons de soleil réfléchis dans l'eau chlorée. Les vaguelettes crées par la brise à la surface de l'eau formaient des reflets à travers les stores sur la peau douce de la jeune femme. Il n'avait jamais autant eu envie d'une femme.

Beth sembla hésiter une seconde. Les jambes écartées devant lui, la bouche entrouverte, elle semblait chercher le meilleur moyen de le dévorer. Peu importe ce qu'elle choisirait, pourvu qu'elle s'y attelle vite.

Elle leva une jambe sur la chaise longue et passa lascivement la main contre son intimité, puis hésita encore un instant avant de s'allonger près de lui.

Guidée par ses pulsions, elle se plaça entre les cuisses de James et saisit à pleines mains son membre dur comme la pierre, le caressant de haut en bas, devinant le rythme et la manière qui rendraient son amant fou de désir. Il se sentit énorme entre ses mains, comme si elle massait la terminaison nerveuse de son corps tout entier.

Les yeux clos, il poussa un soupir. Beth remplaça rapidement sa main par sa bouche chaude et humide. Elle parcourut toute sa longueur avec sa langue, de la base jusqu'à l'extrémité, comme s'il s'agissait d'une glace en plein été. Et puis, arrivant au bout, elle le reprit tout entier dans sa bouche. Ses dents frôlaient sa peau fine et lui provoquèrent un frisson incontrôlable. James oublia les autres parties de son corps, mais pas celles de Beth. Elle lui offrait une vision divine, ainsi penchée entre ses jambes, nue, le sexe dans sa bouche, sa poitrine frottant sur ses cuisses au rythme de ses mouvements. Il saisit l'un de ses seins, ravi de le sentir pointer dans la paume de sa main. Le désir de jouir devenait un besoin, mais plus important encore, il voulait la voir, la prendre si sauvagement qu'elle en aurait des vertiges. Il avait un besoin irrépressible de l'entendre crier son nom. Son nom sur ces lèvres prenait le pas sur son sexe dans sa bouche. Il voulait la voir jouir. Il l'attrapa brusquement dans ses bras. Aucun doute ne subsistait, James savait comment il la voulait. D'un coup de pied, il ouvrit la porte de la salle de bains et la reposa sur le meuble entre les deux vasques. La hauteur était idéale et il y avait des miroirs derrière elle, sur le côté, et derrière lui sur le mur. Ainsi, il aurait le loisir de l'observer sous tous les angles en la pénétrant. Il l'attira tout au bord du meuble.

La subtilité attendrait. James n'avait plus de patience. Il prit son membre dans sa main et le guida contre son entrée. Beth lui saisit le menton.

— Prends-moi, James. Je te veux en moi tout de suite.

Ses mots avaient le don de le rendre fou.

— Oui, m'dame.

Les doigts enfoncés dans sa croupe, il l'attira brusquement contre lui et la prit sans douceur, sans prévenance, ni lubrification naturelle. Comme ça, telle une bête. Sa chaleur l'enveloppa et elle poussa un gémissement divin.

— Encore, murmura-t-elle à son oreille, soufflant l'air chaud de son désir sur sa joue.

James lui fit tourner la tête vers le miroir sur le côté. Son regard se fit alors sombre et profond. Elle leva légèrement la jambe en pliant le genou pour mieux le voir entrer en elle. Cette vision semblait décupler ses pulsions. James la regarda tandis qu'elle observait leur reflet sur le côté, puis derrière lui.

Le rythme s'accéléra encore et encore, Beth crispa ses muscles autour de son sexe dont elle dévorait l'image dans la glace. Il glissa une main entre leurs corps et caressa son clitoris, légèrement, le touchant à peine, puis appuya directement dessus et le frotta en cadence avec les assauts de son bassin.

— James.

Sa voix s'éraillait de la plus douce manière, puis elle jouit, s'accrochant à chaque bouffée d'air comme si sa survie en dépendait. En écoutant ce soupir, James se sentit à son tour saisi d'un tourbillon extatique si puissant qu'il put à peine tenir sur ses jambes.

Allant et venant avec toute la folie de leur orgasme, ils en savourèrent chaque instant jusqu'à la dernière seconde. Si James ne s'était pas tenu à la vasque, il se serait sans doute écroulé à même le sol.

La tête de Beth retomba sur son épaule. Comment pouvait-elle reprendre ses esprits alors qu'elle était saisie par la sensation d'être une ruche remplie de miel sucré ? Lorsqu'il l'entoura de ses bras, elle fut comblée. Dans le miroir derrière James, elle aperçut le reflet de l'autre glace en face de lui et observa le visage du jeune homme, penché sur son épaule, les paupières closes sur ses yeux bleus, les lèvres posées sur sa peau en un baiser immobile.

— Une petite sieste ? murmura-t-elle.

Peu importe qu'il soit bientôt l'heure du déjeuner.

James ne répondit pas et se contenta de la prendre dans ses bras pour la ramener dans la chambre. Cette fois, il l'allongea délicatement et rabattit les draps sur elle avant de disparaître en cuisine, juste le temps de ramener des verres d'eau avant de la rejoindre au lit. Elle se tourna sur le côté pour le regarder droit dans les yeux.

— Quand sera ton prochain déploiement ?

Beth voulait en savoir plus sur lui, ou en tout cas au sujet de sa vie en dehors du clan Walker. Et puis, parler de l'armée le rendrait sans doute plus heureux que s'appesantir sur sa famille de détraqués.

— L'année prochaine, mais je ne sais pas quand exactement. Ça dépend de la guerre, je suppose. Allons-nous quitter l'Afghanistan ? Allons-nous y rester ? Y aura-t-il un autre conflit ailleurs d'ici-là ? L'année prochaine, c'est tout ce que je sais. Et toi ?

Il se tourna à son tour et ils se retrouvèrent face à face, genoux contre genoux.

— Je venais de valider ma candidature au déploiement quand tu m'as vue à la salle de sport. On peut m'envoyer sur le terrain à tout moment.

— Tu aimes ton travail ? s'enquit James, en lui caressant doucement le bras.

— Je l'adore. Enfin, pour l'instant. J'ignore ce que me réserve l'avenir, mais l'horloge tourne et je ne pourrai pas servir éternellement parmi les forces spéciales. Si on me met un jour derrière un bureau, je rends les armes, je change de métier pour trouver quelque chose de plus excitant à faire.

Si ton père ne me bannit pas des listes de candidature à la CIA.

— Est-ce qu'on t'a déjà fait participer au Sere ? s'informa James, faisant référence au programme d'entraînement de survie, d'évasion, de résistance, et d'échappée qui donnait des sueurs froides à tout bon soldat en service.

Il s'agissait pourtant d'un passage obligé pour accéder à certaines branches du corps d'armée.

— Oui. Au début, je n'étais pas censée le faire. J'ai intégré les CST, les *Cultural Support Team*, c'était mon premier poste parmi les forces spéciales. Mais après mon troisième déploiement, cela me cantonnait au rôle de soldat parmi tant d'autres, alors j'ai participé au Sere sur le tard. Et toi, tu l'as fait ?

— Ouais. On ne fait appel à moi que pour les missions de forces spéciales, je dois donc faire leurs entraînements en plus de ceux imposés par l'armée de l'air.

— C'est drôle, quand j'y repense : lors de mon dernier déploiement, je me suis retrouvée dans le

Humvee avec le type de l'entraînement qui m'en avait fait baver à l'époque. Le pauvre, il ne savait plus où se mettre. J'avoue que ça me plaisait, admit Beth dans un rire en cherchant une meilleure position sur le lit. Il était affolé à l'idée de se retrouver avec moi. En quittant l'entraînement pour combattre, c'est un peu comme un policier qui se retrouve en prison : il ne sait pas sur quelle ancienne connaissance il peut tomber. En tout cas, je ne l'oublierai jamais.

— Tu t'es vengée ?

— Tu plaisantes ? Je lui dois énormément. Grâce à lui, j'ai appris à encaisser les coups. Aucun autre soldat de ce programme d'entraînement n'a jamais posé la main sur moi. Lui m'a blessée, certes, mais tu sais, j'ai compris par la suite que peu importe la violence des coups qu'on me donne, je m'en sortirai. Aujourd'hui, je n'ai pas peur d'en venir aux mains pendant un combat.

— Personnellement, je me savais capable d'encaisser les coups bien avant de m'enrôler, soupira James en regardant le plafond.

La jeune femme se redressa sur un coude.

— C'est-à-dire ? Tu étais du genre à te battre ?

— Sadie a une bonne droite, crois-moi. Avec ses cinq ans de plus que moi, elle utilisait le moindre centimètre d'avantage sur moi pour me faire regretter d'être né. C'est un miracle qu'on s'entende bien aujourd'hui.

— Comment comptes-tu faire maintenant que tu es adjudant ? Ils ne te laisseront plus partir au front quand tu seras envoyé sur le terrain, si ?

— Je suppose que non. Je pourrai peut-être arrêter de mentir à mon père au sujet de ma carrière.

— Mais tu seras toujours envoyé en déploiement.

— C'est vrai, tu marques un point.

Un soldat d'élite de l'armée de l'air n'accepterait pas d'être écarté du combat, Beth le savait bien.

— Alors, qu'est-ce qui t'attend pour la suite ?

— J'ai un contact dans une société militaire privée. Il est souvent à la recherche de types avec mon expérience. Je garde cette option dans un coin de ma tête, mais, en même temps, je me demande si j'en serais capable. Servir mon pays est depuis toujours ma vocation, mais faire la même chose pour une entreprise privée, ça me paraît…

— Bizarre, termina-t-elle. Oui, je te comprends. Je me suis souvent demandé si j'arriverais à obéir aux ordres d'un homme qui cherche à tirer profit d'une situation au lieu de servir son pays.

Beth se sentait bien avec lui et voulut combattre ce sentiment. Voilà qu'ils partageaient à présent leur approche du service militaire. Au fond, elle espérait presque que James fasse un faux pas, scandaleux et répugnant, pour casser l'image parfaite qu'elle se faisait de lui.

Les paupières lourdes, elle parvint à articuler :

— On est pareils, tous les deux.

Puis elle s'endormit profondément.

Chapitre 12

À son réveil, Beth était seule. Elle enroula un drap autour d'elle et se leva pour lire l'heure sur l'horloge de la cuisine. Il était presque 13 heures. Mince, elle avait dormi presque trois heures…

James était assis à une table au bord de la piscine. Elle se dirigea vers la pièce à vivre et s'apprêtait à sortir lorsqu'elle prit conscience qu'il parlait à quelqu'un. Une femme. Malgré elle, elle ne put s'empêcher d'écouter aux portes. Elle reconnaissait cette voix, c'était Harriet. Que venait-elle faire ici ?

— S'il te plaît, ne t'en va pas, lui dit James. Reste.

Beth s'approcha de la porte pour mieux entendre. Parlait-il de leurs fausses fiançailles ?

— Tu réfléchis trop. Tu devrais faire comme moi, lui répondit Harriet d'une voix douce.

— Si j'étais comme toi, je serais sans doute mort à l'heure qu'il est. Ne me donne pas d'aussi mauvais conseils.

Il semblait agacé.

— Oh, mon chéri. Ne me regarde pas comme ça, tu sais que je m'en sortirai.

— Souviens-toi que je t'aime, Harriet. Quoi que tu fasses. D'accord ? lui dit James.

La réponse de la jeune femme fut étouffée, comme par une étreinte… ou un baiser.

Beth se figea, le cœur lancé à cent à l'heure et la tête lourde comme une énorme balle de plomb prête à fondre sur le reste de son corps. Il aimait encore Harriet ? Elle cligna des yeux pour en chasser l'humidité qui menaçait. Non, non et non. Hors de question de pleurer pour un flirt de deux jours. Aucun homme ne méritait ses larmes. Aucun.

Ses yeux n'obéirent pas à son esprit. Elle quitta sa cachette et partit s'enfermer dans la salle de bains. Elle avait besoin de réfléchir. Mais pourquoi ? Elle savait pourtant que tout cela n'était qu'un jeu, une comédie qui s'achèverait dimanche soir. Pourquoi le prenait-elle si mal ?

Elle se débarrassa du drap qui l'enveloppait et parcourut la pièce de long en large, décidée à se faire la morale et à oublier les pensées mièvres et romantiques qui semblaient s'être emparées de son subconscient. Cette famille était toxique, et cette relation une simple passade. Après le mariage, James et elle reprendraient chacun leur route. Ce n'était pas plus compliqué.

Le processus de recrutement à la CIA prenait généralement deux ans. D'ici-là, le père de James aurait oublié Beth. Et puis, elle avait bien joué : il ne connaissait pas son vrai nom de famille.

Elle trouverait drôle que le directeur Walker s'amuse à faire des recherches sur Beth Cojones, ou mieux encore, qu'il demande à l'un de ses sbires de s'en charger pour lui.

Pour ce qui était de James… Comment avait-elle pu être aussi bête ? Le corps de rêve et les prouesses sexuelles du jeune homme l'avaient totalement aveuglée. Elle avait oublié tout le reste, dont ses propres règles : interdiction de s'impliquer dans cette relation. James n'était qu'un passe-temps. Un bon moment sans conséquences.

Zut.

Elle s'en voulait terriblement.

Tournant les robinets de la douche, elle reporta son attention sur son chez elle, sur Tammer, sur Jubilee. La vue depuis sa chambre, donnant sur le jardin. L'odeur des pins dans la cour. Le pop-corn qu'elle préparait pour elle et sa sœur avant de se lancer dans un marathon de séries. Sa Mini Cooper. Les promenades de Jubilee sur les petits sentiers autour de la maison.

Ce week-end n'était qu'une fiction, un service qu'elle rendait à James en paiement de sa dette. Des vêtements Jimmy Choo ? À quelle occasion les aurait-elle portés dans la vie réelle ? Elle eut presque envie de rire tant elle se trouvait idiote. *Profite tant que tu es là, c'est tout. En revanche, fini le sexe. Si James a des sentiments pour Harriet, il ne devrait pas fricoter avec une autre femme.* Tout bien réfléchi, elle ne le connaissait pas si bien que cela. Aurait-elle pu se tromper à ce point sur son compte ? Pouvait-il aimer une femme et coucher avec une autre ?

Son cœur se serra malgré elle. L'espace d'un instant de pure naïveté, elle avait cru, quelque part dans son inconscient, que leur histoire pouvait signifier quelque chose de vrai. À présent, elle savait ce qu'il en était.

Elle n'était là que pour le buffet gratuit, comme elle le disait en plaisantant dans la voiture. Déjà, cela semblait dater de plusieurs mois. Pourtant, c'était la veille. Elle se redressa, le dos bien droit, et reprit ses bonnes résolutions. Elle ne perdrait pas la tête, ne se laisserait pas charmer par un homme qu'elle ne connaissait que depuis quelques jours. Les mois passés ensemble en Afghanistan étaient une parenthèse dans sa vie. Elle se savait forte. Très forte.

Sauver la vie de Beth ne faisait pas de James son âme sœur.

Elle sortit de la douche et s'enveloppa de deux serviettes moelleuses. Une pour le corps, l'autre pour les cheveux. Quand elle quitta la salle de bains, elle vit que James était rentré.

— J'allais te rejoindre mais tu as fermé la porte à clé. Tout va bien ? s'inquiéta-t-il.

— Oui, ça va, sourit-elle. J'ai dû fermer par réflexe. À quelle heure doit-on se rendre au cocktail ?

— Bientôt. J'ai demandé à Maisie de nous apporter le sèche-cheveux quand j'ai entendu le bruit de la douche.

Il brandit l'outil comme un trophée. *Ben voyons*. C'était surtout une excuse en or pour se débarrasser de Harriet lorsqu'il avait entendu que Beth était réveillée.

— Merci, c'est gentil d'avoir pensé à ma tignasse emmêlée.

Elle lui prit l'objet des mains, retourna dans la chambre et le brancha, mettant ainsi un terme à leur conversation.

Le comportement de Beth était étrange et James ne comprenait pas pourquoi. Cherchait-elle à prendre ses distances pour empocher la somme que lui avait proposée son père à condition de rompre avec son fils ? Était-elle vraiment ce genre de femme ?

Il prit une douche rapide et se prépara pour le cocktail. Une chose était sûre : il avait besoin d'un petit remontant. Beth passait de l'attitude de l'agneau à celui du loup en un claquement de doigts. Lui qui croyait avoir cerné le personnage, il était à présent perdu. Elle était changeante : d'abord après avoir couché avec lui la première fois, ensuite après avoir accepté le chèque de son père. Les femmes étaient-elles toutes comme cela ? Sa dernière aventure remontait à loin, il avait dû oublier. Ou peut-être n'avait-il jamais prêté attention à ces détails.

Si seulement Beth pouvait retrouver son attitude d'avant. Il se sentait exclu face à son sourire figé qui n'atteignait plus son regard, cela le mettait dans tous ses états. Elle ressemblait à une mauvaise comédienne. Sauf que c'était exactement ce qu'il lui avait demandé : de jouer un rôle dans son feuilleton ridicule. En gros, tout était sa faute. Tout. Il ne pouvait s'en prendre qu'à lui-même. Ils auraient dû être en train d'escalader une falaise à l'heure qu'il était. Il avait vraiment besoin d'un verre alors qu'ils entamaient à peine la journée.

Jour, nuit, on s'en fiche.

Il se servit un verre de vin et s'assit sur la chaise longue où Beth avait cherché à le séduire le matin même. Qu'est-ce qui avait changé ? Il donnerait tout pour retrouver la Beth généreuse et ouverte. Fermant les yeux, il l'écouta se déplacer dans la maison. Le sèche-cheveux éteint, elle se dirigeait vers le placard, puis la salle de bains, avant de revenir dans la cuisine.

— Tu es prête ? lui lança James, les paupières toujours closes.

Il préférait se l'imaginer plutôt que de faire face au regard dur qu'elle lui lançait.

— Plus prête que jamais. Tu as bien parlé de buffet extérieur ?

James ouvrit les yeux. Elle portait un tailleur bleu ciel dont la jupe frôlait ses genoux, avec des talons hauts. Ses cheveux étaient relevés avec élégance et elle avait orné le côté de son chignon d'une pince avec de petites perles.

Il eut envie de la haïr.

Cette femme était parfaite. Littéralement parfaite. Pour lui, en tout cas. Si seulement elle pouvait s'approcher de lui, se confier, lui dire ce qui se passait dans sa tête. Si seulement lui aussi pouvait être parfaitement honnête avec elle. Toute cette histoire n'était qu'un immense gâchis et il aurait préféré rentrer avec elle en Caroline du Nord, pour lui faire l'amour et regarder des films à l'eau de rose.

— C'est parti, ma belle. Allons boire comme des ivrognes.

Dans la maison, les convives étaient déjà éparpillés dans la salle de réception, chacun avec une flûte de champagne à la main. Impatient, James donna quelques poignées de main, présenta Beth à certains, et la guida jusqu'à la table des apéritifs.

Un quart d'heure plus tard, ils sirotaient leur première gorgée de cocktail. Cela leur faisait enfin un point commun : l'alcool noyait leurs démons. Un monde les séparait à présent que leur conversation était réduite à néant. Les cocktails semblaient être la meilleure solution à leur pacte temporaire.

— Au fait, une fois qu'on sera retournés à la réalité…, commença James.

— Oui, je suis d'accord : on fera comme si rien ne s'était passé. C'est pour le mieux, pas vrai ? Ce qui s'est passé à Washington restera à Washington.

Avec un rire nerveux, elle termina son Mimosa d'une traite et attrapa un autre verre sur le plateau d'un serveur qui passait par là.

Était-ce vraiment ce qu'elle voulait ? Après tout, il avait pu se tromper sur toute la ligne. Il ne pouvait pas le reprocher à Beth. Leur petit jeu avait sans doute dépassé les limites qu'elle s'était posées, ce n'était pas surprenant qu'elle veuille tout oublier.

Quelle poisse. Il avait tout fichu en l'air. Dans la voiture, il avait espéré faire d'une pierre trois coups : marier sa sœur, s'assurer que tout le monde était en sécurité, et passer du bon temps avec Beth hors des champs de tirs. Point final. Leur attirance physique et purement bestiale n'avait été qu'un bonus. Il avait espéré cette alchimie sans forcément attendre de miracle.

À présent, elle avait hâte de tourner la page. James ne lui forcerait pas la main.

— Bien sûr, si c'est ce que tu veux. On oublie tout ça et on rentre en Caroline du Nord. Le trajet sera comme une patrouille, ajouta-t-il en forçant un sourire. On pète et on raconte de mauvaises blagues. Rien de plus.

Elle sirota lentement son cocktail.

— Parfait. Seulement, j'aimerais qu'on évite les pets. J'ai eu mon compte avec Bastidas. Tu t'en souviens ? Je n'aurais jamais cru qu'une semaine à manger des *ramen* puisse produire un gaz aussi toxique. Je te jure, si j'avais su, j'aurais fait la patrouille en combinaison spéciale. Quelle histoire !

James ne put retenir un rire sonore.

— Je ne risque pas de l'oublier ! Tu ne lui as jamais rien dit : aucune remarque, rien du tout. Tu ne lui as même pas demandé de quitter le véhicule. J'ai fini par croire que tu étais immunisée contre son odeur. On le croyait tous, d'ailleurs.

Le souvenir l'amusa. En réalité, il s'était demandé à l'époque si elle ne sortait pas avec ce Bastidas, bien que cela semble improbable et parfaitement illégal. Le côté illégal, voilà pourquoi cela semblait impossible : Beth n'avait jamais fait un seul faux pas, n'avait jamais rien dit ni fait de marginal durant les quelques mois qu'ils avaient passés dans la même patrouille.

Il la regarda balayer les alentours du regard en sirotant son Mimosa et sentit son cœur comme écrasé sous le poids des souvenirs qu'il avait d'elle en Afghanistan, des fantasmes qu'elle lui inspirait. Aujourd'hui, elle était là, devant lui, et le fuyait du regard comme s'il était un quelconque inconnu venu l'accoster.

— Ce n'était pas sa faute, dit-elle finalement. On ne choisit pas de sentir si mauvais. Mais je l'avoue, je n'étais pas mécontente lorsqu'il s'est blessé à la cheville et qu'on l'a rapatrié derrière un bureau.

D'un air de dire « qu'est-ce qu'on y peut, finalement ? », elle haussa les épaules de la manière la plus adorable qui soit. James devait prendre ses distances, et tout de suite. Ou bien frapper quelque chose.

— J'ai cru voir… quelqu'un. Je reviens tout de suite.

Il marcha d'un pas vif vers une personne qu'il ne connaissait ni d'Eve ni d'Adam et l'aborda avec la célèbre réplique : « Vous êtes un ami de Simon ou de Sadie ? » L'homme parut surpris mais heureux de lui parler.

Comme il lui répondait, James reporta son regard sur Beth qui se tenait au bar comme si le monde lui appartenait. Que ne donnerait-il pas pour percer sa carapace ? Pourtant, il la laisserait partir, pour le bien de sa propre santé mentale, car rester auprès d'elle sans pouvoir être *avec* elle relevait d'un niveau de torture extrême auquel il n'avait pas été préparé lors des entraînements Sere.

Beth regarda autour d'elle tous ces gens bouillonnant d'excitation à cause du mariage. La veille, elle aurait été dans le même état qu'eux, mais aujourd'hui, après sa conversation avec le directeur Walker, suivi du comportement glacial de James et de sa déclaration à Harriet, tout avait changé. C'était la raison pour laquelle elle ne s'engageait pas dans ce type de galère. Pas de petit ami.

L'espace d'une seconde – bon d'accord, de quelques heures – elle avait cru ressentir quelque chose. Des sentiments, même. Pour James. Qu'il aille au diable ! Comment osait-il lui faire ressentir de telles émotions pour ensuite faire sa déclaration à Harriet ? Heureusement qu'elle mettait un terme à tout cela avant d'avoir à entendre : « Ce n'est pas toi, c'est moi. »

Ouf, elle fuyait juste avant cette étape.

Autour d'elle, les gens semblaient heureux, excités d'être dans la demeure du grand directeur. Elle passa quelques minutes à observer les visages à la recherche d'un quelconque malaise, d'une gêne qui la mettrait sur la piste du coupable, de cet anonyme qui avait envoyé des e-mails de menaces, qui avait manqué d'enlever Sadie, et qui cherchait à présent à se fondre dans la masse. Elle cherchait des gestes suspects, n'importe quoi qui puisse lui faire penser à autre chose qu'à James. Les yeux baissés sur son verre, elle se demanda si elle pouvait commander un autre cocktail sans passer pour une ivrogne. Elle vota pour un oui. Le Mimosa remportait la bataille.

M'en fiche.

Les doubles portes s'ouvrirent brusquement sur Mme Walker qui fit une entrée remarquée. Quelques personnes l'applaudirent. Sérieusement ? Beth n'applaudit pas. La mère de James embrassa l'air près de la joue de quelques convives et secoua les mains comme pour inviter tout le monde à reprendre le cours de leurs conversations.

Beth se faufila discrètement parmi la foule et rejoignit le calme du couloir où elle observa longuement la salle de bains. Pouvait-elle se cacher ici ? Si oui, combien de temps ? Elle intercepta un serveur qui sortait de la cuisine chargé de verres d'eau fraîche, et s'empressa de diluer l'alcool des cocktails mal avisés qu'elle venait de cumuler.

Un peu de patience, tout serait terminé dimanche soir. Elle rentrerait chez elle comme si de rien n'était.

James sortit de la salle de réception au moment où elle terminait son verre d'une traite. Elle le posa sur un guéridon dans le couloir mais il s'en saisit aussitôt.

— Excuse-moi, mais si ma mère voit ça, elle risque la crise cardiaque.

— Je la comprends, j'emmène le verre en cuisine, fit-elle, ravie de trouver l'occasion de s'éclipser.

Manque de chance, un serveur en sortit à cet instant précis. James posa le verre sur le plateau qu'il portait et plissa les yeux.

— Tu ne m'échapperas pas si facilement, dit-il à Beth en souriant.

— On parie ? Je m'enfuirai si vite que tu ne t'apercevras même pas de mon absence.

Elle ne plaisantait qu'à peine et James sembla inquiet.

— Ne fais pas ça. Ne me laisse pas avec ces fous. Je sais que je parle de ma propre famille, mais n'empêche que ce sont des fous.

— Je serai dans tes pattes jusqu'à dimanche, ne t'inquiète pas.

Pourquoi ? Pourquoi ne prenait-elle pas la poudre d'escampette ? Ne serait-ce que pour rentrer à Fort

Bragg. La proximité de James faisait réagir chaque parcelle de son corps. *Où trouver un autre Mimosa, et vite ?*

Tandis qu'elle s'apprêtait à s'enfuir, Harriet sortit du salon et leur fit signe.

— Je vous laisse en tête à tête, grommela Beth en esquivant le bras qui allait s'emparer de ses épaules.

— Pourquoi ? demanda James.

Elle partit sans répondre.

— Et merde, grommela James tandis que Harriet approchait.

— J'ai dit quelque chose qu'il ne fallait pas ? s'enquit la jeune femme en le prenant par le bras. Tu m'accompagnes jusqu'à la tente ?

— Je n'en ai vraiment pas envie, mais tant pis. Je viens.

En poussant un soupir, James traversa la salle de réception où les convives étaient invités à sortir dans le jardin.

— Il y a quelque chose de vermoulu dans l'état du Danemark ?

— Arrête de citer Shakespeare, bon sang ! Oui.

Il savait que Harriet ne le prendrait pas mal.

— Que s'est-il passé ? Tu as fait ton ours mal léché ? Avec ton mauvais caractère, ça a pu la faire fuir, dit Harriet, visiblement inquiète.

— Je n'en sais rien. Je l'ai vue accepter un chèque que mon père lui proposait.

— Oh. J'en ai entendu parler. Cara m'a raconté qu'elle a touché 100 000 dollars pour te quitter.

Une autre ex.

— Merde. En tout cas, ça explique ma vie amoureuse chaotique. Je croyais qu'il ne l'avait fait qu'avec les copains de Sadie. Je te jure, si ce n'était pas mon père, je lui ficherais un coup de pied où je pense.

— Je parie que si tu fais des recherches sur les filles que tu as fréquentées depuis ta majorité, tu découvriras qu'elles ont toutes fait de longues études et vivent dans de jolies maisons avec de belles voitures. Peut-être plus belles que la tienne.

— Il n'existe aucune voiture plus belle que la mienne. Non mais quel cauchemar…

Il n'arrivait pas à croire ce que lui disait Harriet. Le pire, c'était de l'apprendre de sa bouche à elle. Son père contrôlait sa vie amoureuse depuis toujours. Une colère furieuse l'envahit.

— Elle a pris le chèque, grommela-t-il encore avant de se ressaisir et de balayer l'assemblée du regard à la recherche de Beth.

— Pourtant, elle est toujours là, observa joyeusement l'ex-copine. Quand même, tu devrais te dépêcher, William a l'air intéressé.

Elle désigna du menton les tables sous la grande tente.

William tirait une chaise pour que Beth s'y assoie. James devait bien admettre que son vieil ami était charmant ainsi tiré à quatre épingles. La dernière fois qu'il l'avait vu en costume, c'était pour la remise de leur diplôme à la sortie du lycée privé qu'ils fréquentaient à la même époque. Son costard devait coûter une petite fortune.

— Sadie m'a raconté qu'il a une maison en bord de plage en Californie, gloussa Harriet. Ça le rend encore plus charmant, tu ne trouves pas ?

Elle lui donna un coup de coude dans les côtes.

— Ça va, j'ai compris. J'y vais.

Hors de question de laisser cet imbécile charmer Beth. Ce ne serait pas la première fois que William s'amuserait à draguer la cible de James. Cette fois-ci, il ne l'observerait pas sans rien faire. Pas avec Beth. Il s'approcha d'un pas rapide, suivi de près par Harriet.

— Ôte tes sales pattes de ma nana, Will, lança James en passant un bras autour des épaules de Beth.

Le sourire aux lèvres, William leva les mains en signe de capitulation.

— Je n'oserais pas, tu le sais. Pas après ce qui s'est passé avec Anna-Lyn.

James ne put retenir un rire. Il s'installa sur la chaise à côté de Beth qui fronçait les sourcils.

— Anna-Lyn était ma voisine, la fille parfaite. J'ai réussi à lui demander de sortir avec moi une fois…

— Tout ce que j'ai fait, c'est lui demander si elle avait lu le dernier *X-Men*, je te jure, l'interrompit William, les bras croisés.

— Et je les ai surpris blottis l'un contre l'autre à lire ce *comic*, conclut James avant de boire une longue gorgée de champagne.

Face à la curiosité évidente dans le regard des deux filles, William poursuivit le récit.

— Ça ne lui a pas plu du tout, il s'est mis à me bousculer et à me donner des coups de poing.

— C'est moi qui lui ai appris ! se vanta Sadie, alors que Simon lui présentait une chaise.

James trinqua avec sa sœur. C'était vrai, elle lui avait appris à se battre. Observant les visages autour de la table, James se détendit peu à peu. Sadie et Simon, William, Harriet, et Beth. *Sa* Beth. Il devait à tout prix trouver un moyen pour que ça fonctionne. Il ne manquait qu'une seule personne… Regardant autour de lui, il sourit en apercevant Maisie et une autre jeune fille qui couraient après un garçon de leur âge autour des toilettes de chantier.

Il sentit une main sur son genou.

— Si je comprends bien, vous vous connaissez tous de longue date ? lança Beth à la tablée.

Ce fut Sadie la plus rapide à répondre.

— Certains d'entre nous, oui. Pour les autres, c'est tout comme.

Face aux protestations de l'un ou l'autre, elle ajouta :

— Harriet et moi, on se connaît depuis l'université. Alors que Simon, je l'ai rencontré… récemment, dit-elle avec un sourire particulier pour son futur mari. Avec William et James, on passe notre temps ensemble depuis la maternelle. Et puis, il y a eu l'histoire entre James et Harriet.

Beth pouffa.

— Oui, j'ai cru comprendre.

Tout le monde éclata de rire.

— C'était il y a longtemps, s'empressa de préciser Harriet. Pour parler d'une chose plus importante : Sadie, tu as l'air angoissée. C'est à cause d'hier soir ?

Les fiancés échangèrent un regard. Simon se montrait mystérieux.

— Il y a un problème ? demanda James.

— On envisage de prendre nos cliques et nos claques, déclara Sadie, la gorge serrée.

James fut estomaqué.

— Comment ça ?

— Pour faire court, on aimerait partir aujourd'hui, prendre un jour d'avance sur notre lune de miel et nous marier ailleurs, juste lui et moi, expliqua-t-elle en prenant la main de Simon. Hier soir, c'était la goutte d'eau qui a fait déborder le vase.

Les mâchoires de Simon étaient crispées.

— On a l'impression d'être devenus une sorte de cible. Je suis sûr que ce qui s'est passé hier, marmonna-t-il en s'interrompant pour boire une gorgée de bière, c'est à cause de tout ce cirque. Je refuse de mettre ma fiancée en danger. Pour être honnête, j'ai l'impression d'être du gibier au milieu d'une battue. Ce n'est pas une sensation agréable.

James ne l'avait jamais entendu parler autant. Il n'allait pas le contredire : les choses ne tournaient pas rond depuis son arrivée. Mais si Sadie ressentait le besoin de s'enfuir, il ferait tout pour l'aider.

— Qu'est-ce qu'on peut faire ? dit-il.

— On n'y a pas encore réfléchi. On veut partir, c'est tout. Et annuler le mariage à distance.

— Tu es sérieuse ? Maintenant qu'il y a tout ça ? s'exclama William en se penchant en avant, et il désigna l'ensemble des convives, la fontaine de champagne sous la tente, les serveurs affairés pour apporter les hors-d'œuvre. Ta mère va te tuer. Peut-être même littéralement, ajouta-t-il en souriant.

Même s'il avait raison, James avait envie de le frapper. William était un lourdaud qui ne savait pas mettre les formes, et il clamait depuis toujours que sa gaucherie faisait tout son charme.

— Vous ne pouvez pas partir seuls, intervint James. On ne s'en est pas sortis brillamment au *JibJab*. Vous devez rester en sécurité, c'est le plus important.

— Elle est en sécurité avec moi, affirma Simon, sans doute à raison.

— Oui, je sais. Mais tu ne peux pas garder un œil sur elle sept jours sur sept et vingt-quatre heures sur vingt-quatre. En plus, on n'a toujours pas identifié la menace.

— C'était des professionnels, s'insurgea Beth en caressant ses hématomes. Et ils savaient où nous trouver.

— Non, rien n'était dû au hasard, acquiesça Simon. Seulement, je ne comprends pas pourquoi ils se sont enfuis – aussi facilement, qui plus est – alors qu'ils avaient Sadie. J'ai demandé à des amis de revisionner les films des caméras de surveillance. Ils appelleront s'ils trouvent quelque chose.

— Waouh, qui es-tu pour avoir le bras si long ? Un flic ? s'écria William.

— Non, j'ai des contacts, c'est tout.

James s'interposa pour éviter à Will de poser encore une question idiote.

— Bon, vous voulez filer ? Facile : on demande à Maisie de faire diversion.

— Une diversion pour quoi ?

Sa mère apparut de nulle part, telle un vampire.

— Rien. On plaisantait, répondit James.

Elle lui lança un regard noir digne de ceux qu'elle lui réservait dans son enfance. Il sauta de son siège pour lui offrir une chaise.

— Ils veulent s'enfuir pour se marier ailleurs mais on essaie de les dissuader, lança William.

Un silence tomba comme une chape de plomb. *Quel imbécile !* Simon se raidit sur sa chaise et Sadie détourna le regard.

— Enfin, c'est une blague bien sûr, dit Beth.

Le temps d'une pause, la mère la regarda longuement.

— Non, ce n'est pas vraiment une blague, admit finalement Sadie.

James s'attendit à voir sa mère exploser de colère, mais, au lieu de cela, elle se cala dans son siège et observa les convives qui discutaient joyeusement sous la tente et partout dans le jardin.

— Très bien. Si tu veux partir, pars. Je sais que cette fête n'est pas à ton goût. Seulement, avec les derniers changements politiques, on a pensé faire au mieux en invitant les acteurs clés de notre gouvernement, et en même temps, on prend soin de ton père pour une fois. Enfin, c'est tout.

Bien joué, maman.

Chapitre 13

En retrouvant sa bande de copains, James s'était aussitôt détendu. Tous partageaient à présent l'angoisse de Sadie. La pauvre traversait un véritable cauchemar. Quelque part, Beth avait envie de les aider à fuir.

Le visage de Sadie se décomposa lorsque sa mère usa de l'arme de la culpabilité.

— Bien sûr qu'on veut prendre soin de papa, murmura-t-elle d'une voix presque implorante. Mais on pourrait peut-être faire la cérémonie ici, en petit comité, et sans le stress de tout le reste. Tôt le matin de préférence, pour qu'on puisse vite partir en lune de miel.

Mme Walker se redressa sur sa chaise, le dos droit comme celui d'un chacal à l'affût d'une proie.

— Cela me paraît raisonnable. Le dîner de répétition se déroulera comme prévu au *Jamison* à Georgetown, et on fera savoir ensuite que, pour des raisons de sécurité, la cérémonie est exclusivement réservée aux membres de la famille. Ensuite, ton père et moi maintiendrons le repas avec les invités, conclut-elle en inclinant la tête sur le côté, cherchant le meilleur compromis. Oui, cela me paraît satisfaire tout le monde. On est d'accord ?

Cette femme était une manipulatrice de premier ordre, admira Beth.

La tablée se tourna vers Sadie et Simon.

Les regards posés sur le futur marié le mettaient mal à l'aise. Accepter tout ce cirque ridicule autour de son propre mariage était la plus belle preuve d'amour que Simon puisse faire à Sadie. Beth se demanda à quoi pensait James. Imaginait-il se marier un jour dans les mêmes circonstances ? Ces derniers temps, il s'était montré particulièrement mystérieux.

— Oui, ce doit être possible, répondit Simon à sa future belle-mère.

Une tension à présent familière noua l'estomac de Beth. Elle n'avait pas l'habitude de mener cette lutte intérieure. Ses adversaires étaient généralement *à l'extérieur* de son corps. La tension latente qui pesait sur la table n'arrangeait pas son angoisse. Une tension palpable. Même William paraissait tendu, or il venait de mettre Sadie dans un sale pétrin sans même s'en apercevoir. Beth commençait à comprendre pourquoi James gardait ses distances avec cet endroit.

Elle tendit la main vers son verre de champagne presque tiède au moment où une sorte d'explosion retentit depuis l'autre côté de la maison. Simon et

James se levèrent d'un bond. Personne ne semblait prêter attention aux bruits. Le cœur de Beth se mit à battre la chamade. L'armée avait eu raison de son instinct de survie : la fuite. Au lieu de cela, elle était prise d'un instinct de combat.

— Une petite promenade ? lui proposa James en lui tendant la main.

Avec un hochement de tête imperceptible, elle répondit :

— Oui, j'en profiterai pour aller aux toilettes.

Sa main chaude et sèche se saisit de la sienne pour l'aider à se lever de son siège. Beth voulut apaiser sa respiration, bien qu'elle ne sache si son cœur s'emballait à cause de James ou des échos menaçants.

Simon embrassa Sadie sur la joue et lui promit de revenir tout de suite. Puis il hésita et croisa le regard de James.

— Reste avec ma sœur, lui dit celui-ci. On s'en occupe.

Simon regarda Beth d'une étrange manière, comme s'il se demandait en quoi *elle* pouvait leur être d'une aide quelconque. Tous deux s'éloignèrent de la table avant d'accélérer le pas en direction de la source des explosions, s'apprêtant à apercevoir de la fumée ou des éclats de grenade au-dessus du toit.

— Qu'est-ce que c'est, d'après toi ? s'enquit Beth. Le bruit faisait penser à un coup de feu, tu ne trouves pas ?

En traversant le rassemblement de convives, elle se demanda s'ils seraient témoins d'un événement tragique, ou si quelqu'un avait tout simplement déniché de très bruyants pétards. Il faisait encore grand jour, ce n'était pas l'heure des feux d'artifice, et s'il y avait eu pareil divertissement, Beth était prête à parier que les Walker l'auraient autrement mis en avant.

— Aux abris ! cria quelqu'un.

James courut vers la voix et Beth quitta ses chaussures pour le suivre. Poussée par l'adrénaline, elle laissa ses jambes prendre le contrôle. L'entraînement militaire les rendait différents des autres, car ils avaient à présent le réflexe de courir *vers* le danger. James évacua l'arrière de la maison, où des invités étaient rassemblés, puis passa sous les branches basses d'un grand chêne. Beth se faufila derrière lui, prenant garde à ce qu'ils ne soient pas suivis.

Personne derrière eux.

D'instinct, elle porta la main à sa hanche où était ordinairement accrochée son arme et se reprocha en silence d'avoir oublié qu'elle n'était pas en uniforme.

À l'avant de la maison, rien à signaler si ce n'est les voitures de quelques proches de la famille garées sur le côté. Le chemin vers la route était désert.

Nouvelle détonation. Cette fois, le bruit provenait de la cour près des grands murs faisant office de barrière de sécurité. James se tourna vers Beth et hocha la tête en direction de l'agitation.

La jeune femme regarda autour d'elle. Bon sang, où était passée la sécurité ? Et qui avait crié « aux abris » comme si un mortier ou une grenade allait leur tomber sur la tête ?

James se figea, puis peu à peu ses épaules retombèrent, laissant la tension quitter progressivement son corps. Il se retourna vers elle et sourit.

Comme elle ouvrait la bouche pour l'interroger, il la prit de court par un baiser. Un long baiser de soulagement. Leurs langues entamèrent une danse lascive et Beth sentit un brasier la consumer de délice. Elle redevenait l'adolescente dans les bras de son premier amour, enivrée par une montée d'hormones. Finalement, elle s'écarta.

— Alors, qu'est-ce que c'était ? murmura-t-elle, cherchant à retrouver ses esprits avant de regarder autour du grand chêne pour voir ce qui se passait.

— La pire terroriste de l'histoire de l'humanité, évidemment.

James la prit par la main et la guida sur le sentier qui approchait les grands murs de protection. Là, Maisie était cachée avec deux amis et ils lançaient d'énormes pétards sur le mur.

Le garçon hurla encore :

— Aux abris !

Secouant la tête, Beth ne put retenir un sourire. Elle avait envie de se joindre à eux.

— Eh, la Naine, d'où tu sors tout ça ?

— C'est William qui me les a donnés. Il dit qu'il les a trouvés en Pennsylvanie. Ça s'appelle des Bombes Artisanales de Pégase.

Elle leur en montra une. En effet, la chose faisait penser à un pétard gonflé aux stéroïdes. Beth éclata de rire et vérifia que personne d'autre n'écoutait, puis se pencha vers la jeune fille :

— Vous en avez assez pour me laisser essayer ?

Maisie lui tendit celle qu'elle tenait.

— William nous en a apporté cent.

James sourit.

— Je vais le tuer. Ou peut-être seulement en glisser une dans sa chambre pendant son sommeil.

— À ta place, j'éviterais, se moqua Beth. À moins que tu ne tiennes vraiment à changer ses draps toi-même.

Elle recula d'un pas et lança un pétard sur le mur. La violente détonation fut suivie d'un immense éclair de lumière.

— J'adore l'odeur de la poudre à l'heure du déjeuner.

James éclata de rire et l'attira loin des enfants.

Comme ils rejoignaient la maison, l'estomac de Beth émit un bruit peu délicat.

— Mince, j'ai l'impression d'être toujours affamée quand tu es près de moi.

— Et moi, j'ai l'impression d'oublier de te nourrir, rétorqua James.

— Je vais faire un tour aux toilettes. Ensuite, j'essaierai d'intercepter Gracie pour voler quelque chose à manger en cuisine. Je te rejoins tout à l'heure.

Il aurait dû l'accompagner, songea James. Dix minutes étaient passées et elle ne l'avait toujours pas rejoint.

Au lieu de cela, il tomba sur Harriet.

— Qu'est-ce qui vous a pris de décamper comme ça ?

— On s'assurait qu'il n'y ait pas de problème avec Maisie. Elle jetait des pétards sur le mur avec ses copains, l'informa James en chaussant ses lunettes de soleil. Ils ont commencé à servir à manger ?

— Ça ne devrait pas tarder. J'espère, en tout cas. Les invités sont déjà presque tous ivres morts.

— C'est peut-être justement l'objectif. Maman semblait vouloir lubrifier les rouages de ces chers politiques. Qu'est-ce qui a été décidé pour le mariage, finalement ?

Harriet se dirigea lentement vers la table et James lui emboîta le pas.

— Pas plus que ce que tu as entendu. Sadie a donné son accord concernant une cérémonie uniquement réservée à la famille et aux proches. Elle a laissé sa mère organiser le repas auquel elle tenait tant, mais sans les mariés. Simon a été catégorique : ils s'en iront demain vers midi.

— Je ne peux pas lui en vouloir, admit James. Et toi, Harriet ? Tu n'as toujours pas trouvé de compagnon de route pour tes aventures mortelles et tes pulsions déviantes ?

Dès le début de leur relation amoureuse, James avait soupçonné Harriet de secrètement désirer rejoindre son mari Danny défunt avant l'heure : elle multipliait les périples plus dangereux les uns que les autres. Descendre l'Amazone en canoë et en solo, faire du stop au milieu du désert australien, traverser l'Afrique à pied, rien ne lui faisait peur. Certainement pas la mort.

— Ne commence pas, James. Ce lieu te stresse, mais ce n'est pas une raison pour me communiquer ton angoisse. Ce n'est pas juste pour moi, déclara calmement Harriet.

Il s'arrêta de marcher pour la regarder.

— Tu as raison, excuse-moi.

En prenant son corps frêle dans ses bras, il la serra fort en pensant à Beth. Avaient-ils un avenir ensemble ? Pourquoi protégeait-elle la vie de James si c'était pour ensuite accepter le chèque de son escroc de père ? Tout ça lui donnait envie de se cogner la tête contre un mur.

— Bon. Va rejoindre Beth et oublie un peu ta famille de détraqués. Vous ne risquez rien tant que vous restez dans la propriété, ne l'oublie pas. Essaie de passer du bon temps. Profite. Tu es un type bien, James. Elle serait idiote de ne pas s'en apercevoir, or elle n'a pas l'air idiote du tout.

L'envie le prit de tout avouer à Harriet, de lui raconter toute leur histoire, leur jeu de rôle. Elle était de bon conseil, peut-être saurait-elle pourquoi Beth n'avait confiance ni en elle-même ni en les hommes, pourquoi elle avait peur d'une relation à distance le temps d'un déploiement. Pourtant, il ne pouvait pas en parler. Il refusait d'admettre qu'il était toujours aussi mauvais pour les relations amoureuses. Même pour en débuter une. Sa tentative semblait avortée avant même d'avoir abouti.

Harriet le laissa seul et il marcha sur la pelouse à la recherche de Beth, parlant avec l'un ou l'autre des invités, et tous semblaient avoir croisé la jeune femme.

Après une heure, il la retrouva enfin. Chaque convive le complimentait sur sa fiancée, affirmait qu'il avait de la chance et demandait pour quand était prévu le mariage. Il ne savait jamais quoi répondre. Tout ce qui l'intéressait, c'était la retrouver, la ramener à leur chambre, et oublier le reste : mariages, chèques, dimanche, tout.

Ce fut dans la cuisine qu'il trouva Beth, occupée à parler aux traiteurs en espagnol. Il l'observa un instant avant de lui faire remarquer sa présence. Elle rayonnait de bonheur et les cuisiniers autour d'elle riaient de bon cœur. Elle était comme chez elle. James avait envie qu'elle soit comme cela avec lui.

Leurs regards se croisèrent enfin et le sourire de la jeune femme flancha imperceptiblement. Ce fut bref et léger, mais suffisant pour briser le cœur du soldat. Il lui tendit la main.

— On est tranquilles pour quelques heures avant le dîner de répétition, l'informa-t-il.

En s'écartant du comptoir, elle accepta sa main et il ne put s'empêcher d'embrasser ses doigts comme il l'avait fait dans l'ascenseur.

Tandis qu'ils quittaient la cuisine, elle lui dit d'un ton neutre :

— Tu n'es pas obligé de faire ça, tu sais. On est entre nous.

— Qu'est-ce que tu veux dire par-là ? Quand je t'embrasse dans l'annexe, je ne le fais pas pour un public.

Il l'observa en plissant les yeux, curieux de comprendre l'énigme de cette femme.

— Je t'ai entendu dire à Harriet que tu l'aimais, murmura-t-elle, les yeux baissés. Ce matin, au bord de la piscine.

— Oh non, tu ne vas pas t'y mettre ! Ma mère me casse les pieds avec Harriet, alors pas toi, pitié. J'aime Harriet, bien sûr, mais comme une amie. Entre nous, ça n'a jamais été sérieux. Je suis persuadé que je n'étais qu'une expérience pour elle, comme si elle cherchait à se prouver qu'elle pouvait tourner la page après la mort de Danny. La réponse a été claire : non.

— OK, fit Beth à moitié convaincue.

James ne dit plus rien et se contenta de lui serrer la main plus fort. La guidant entre les quelques convives encore présents, il prit la direction de l'annexe, où il lui ouvrit la porte vitrée.

— Écoute. Je ne veux pas que tu confondes ce qui se passe ici et ce qu'on prétend être là-bas. Ce sont deux choses totalement différentes. Je sais que la situation est compliquée, ma famille t'a sûrement déjà joué un mauvais tour. Mais je ne suis pas ma famille. Ne m'inclus pas à ta vision de ces gens.

Sur ces mots, il l'attira contre lui et l'embrassa comme s'il en avait reçu la permission. Sauf qu'il ne lui avait rien demandé.

Chapitre 14

Leur baiser troubla Beth jusqu'au fond de son âme. Elle le rendit avec passion, enivrée par la chaleur qui s'emparait de son corps. Sa nouvelle résolution de ne plus avoir de rapport intime avec James s'évaporait à mesure que sa langue jouait avec la sienne. Là encore, elle se trouvait comme intoxiquée par sa présence, par sa proximité. Comment avait-elle tenu tout ce temps dans un véhicule blindé en patrouille avec lui sans apprendre à le connaître ? Tout avait changé en l'espace de deux jours. Il suffisait d'un regard de James pour la faire fondre.

Il s'écarta brusquement et fit un pas en arrière.

— Ça dépend de toi, ma belle. Fais un choix. Je n'ai pas l'intention de profiter du stress que nous cause cette soirée pour abuser de toi. Prends le temps, réfléchis : est-ce que tu as vraiment envie de ça ? Est-ce que tu veux de moi, oui ou non ?

Le choix appartenait à Beth. Son esprit se mobilisait pour lui dire que c'était une mauvaise idée. Son corps frissonnait à l'idée de ce que James savait lui procurer. Les soucis, elle s'en occuperait plus tard. Pour l'instant, elle avait envie de lui. Elle le suivit donc jusqu'à la chambre.

Sans un mot, il l'attira contre lui, parcourant son corps de caresses délicates et mesurées avec un regard profond, déstabilisant. Le souffle court, Beth se laissa déshabiller, d'abord la veste, puis la jupe. En quelques secondes, elle se retrouva en culotte et soutien-gorge et James s'occupa ensuite de retirer ses propres vêtements. Il se retrouva nu, tout en muscles, le regard brûlant. S'approchant d'elle sur le lit, il effaça tout le reste. Cet instant était à elle, c'était réel. Elle caressa doucement sa jambe avec son pied et James l'attrapa pour le porter à ses lèvres. Il embrassa sa voûte, chatouillant la peau sensible avec sa barbe de trois jours.

Il se pencha ensuite sur son corps, embrassa le côté de sa cuisse, puis s'allongea à côté d'elle pour caresser son visage. Beth se concentra pour garder le contrôle de ses émotions comme il déposait des baisers sur ses joues à l'endroit que venaient de frôler ses doigts. Le bout de son index vint se poser sur le sein de la jeune femme à travers le soutien-gorge et son regard plongea dans le sien.

Leur étreinte était intime, intense, comme s'il percevait chacune de ses émotions et de ses pensées. Il faisait réagir son corps à la moindre caresse, un feu brûlant à l'intérieur et une enveloppe extérieure froide et vulnérable. Trop vulnérable. Pourtant, elle aimait se sentir fragile auprès de lui. Cela lui procurait un sentiment d'honnêteté envers lui. Si elle ne pouvait pas montrer ses faiblesses au monde, elle pouvait les montrer à James.

Elle l'embrassa et se mit à califourchon sur lui. En se penchant pour feindre un nouveau baiser, elle en profita pour se frotter à lui, tout doucement. Son visage proche de celui de James, elle caressa son torse avec ses longs cheveux. La sensation délicate arracha un soupir au jeune homme qui garda pourtant les yeux ouverts pour ne rien manquer de ses mouvements.

Il ferma toutefois les paupières en mordillant la lèvre de Beth, la taquinant du bout de la langue. Elle quitta rapidement son soutien-gorge pour lui offrir une vue sublime lorsqu'il ouvrit les yeux. En effet, il en eut le souffle coupé. Se frottant contre son sexe raide, elle savait qu'il pourrait sentir la chaleur de son désir.

James porta un doigt à la bouche de la jeune femme qui le prit généreusement contre sa langue, puis il retira sa main pour la poser sur son sein. Beth ne put retenir un gémissement. Cet homme avait une façon de la toucher qu'elle n'avait jamais connue auparavant. Elle rejeta la tête en arrière, ravie de constater l'effet de sa chevelure sur les cuisses de James.

— Tu as envie de moi ? susurra-t-elle d'une voix rauque en explorant son torse du bout des doigts.

— Tu n'as pas idée à quel point, articula James entre deux souffles.

Se redressant sur ses genoux, Beth sentit le sexe de son amant réagir entre ses cuisses. Elle repoussa sa culotte sur le côté et descendit lentement sur lui.

Le regard de James s'obscurcit. Elle eut comme une envie soudaine de l'abandonner ainsi, fou de désir pour elle, une envie irrationnelle de le forcer à penser à elle dès qu'il aurait envie de sexe. Elle voulait qu'il pense à elle le restant de ses jours.

Ajustant sa position sur lui, elle le laissa glisser en elle et ferma les yeux pour lui cacher ses larmes, pour les cacher à sa propre conscience, puis amorça un mouvement des hanches, d'avant en arrière, le laissant presque ressortir avant de le reprendre tout entier, si bien qu'il en frissonnait.

James approcha les doigts de sa culotte, et, avec une délicatesse infinie, effleura son clitoris. Beth se sentit perdre pied. Elle avait peur de lâcher prise, peur de jouir, comme si elle risquait de perdre le contrôle une bonne fois pour toutes.

Elle prolongea son balancier au-dessus de lui jusqu'au moment où il s'arqua. Leur rythme accéléra et James se remit à la caresser, si bien qu'elle eut la tête qui tournait au moment où l'orgasme menaça. Elle cria le nom de James, les larmes coulant sur ses joues. Il attrapa ses hanches et s'enfonça un peu plus en elle, une fois, deux fois, et poussa un long grognement. Beth adorait le faire jouir, c'était la preuve qu'elle détenait un pouvoir sur lui. Mais il avait le même sur elle.

Chassant ses larmes avec son pouce, James l'attira contre lui, et elle se blottit contre son torse.

James ne supportait pas de la voir pleurer. Ces bêtises de pseudo-fiançailles allaient trop loin. Pourquoi n'avait-il pas simplement éteint son téléphone ? Ils seraient partis grimper, loin de tout. Pourquoi n'avait-il pas remis son père à sa place ? Il aurait pu lui dire entre quatre yeux qu'il sortait avec la femme qu'il voulait. S'il devait se marier, il choisirait lui-même son épouse.

Il avait envie de demander à Beth ce qui n'allait pas, s'il pouvait faire quelque chose pour l'aider, mais cela reviendrait à s'imposer dans son intimité. Cela lui rappelait les chagrins des soldats en déploiement : ils pleuraient pour différentes raisons, mais si vous les surpreniez, vous faisiez semblant de n'avoir rien vu pour préserver leur dignité dans cet instant d'intimité. James craignait que la jeune femme lui reproche d'avoir observé son instant de faiblesse.

Bon sang, mais ils n'étaient pas en patrouille ! Elle était ici en tant que femme, pas en tant que soldate. Il baissa les yeux sur son joli visage dans l'espoir d'y trouver une réponse, mais elle avait les yeux fermés et la respiration régulière. Trop tard.

Lorsqu'il se réveilla, elle n'était plus là. Pour la première fois, il regretta d'avoir pu dormir à poings fermés. Se frottant les yeux, il sauta du lit. *Il faut qu'on parle, tous les deux*, songea-t-il. Il se rendit dans la pièce à vivre et vérifia l'heure.

Mince, plus que vingt minutes avant le départ de la voiture pour le restaurant.

— Beth ? appela-t-il, mais il n'y eut que le silence pour lui répondre.

Pas même le bruit de la douche. James regarda dehors. Elle était là, habillée pour le dîner, elle marchait autour de la piscine en parlant au téléphone. Elle semblait apaisée et James se demanda à qui elle pouvait bien parler. Il était incapable de la quitter du regard. Les yeux enjoués de la jeune femme se posaient sur tout ce qui l'entourait et son visage exprimait un bonheur pur et simple.

Beth n'avait jamais été aussi calme avec lui, que ce soit au front ou pour ce séjour en famille. Il aurait tout donné pour être celui qui lui apportait un tel bien-être, mais leur aventure de ce week-end se transformait en erreur aux proportions absurdes. Elle ne voulait pas s'engager. Il ne voulait pas se satisfaire d'un simple flirt. Entre eux, l'alchimie au lit était plus épique que tout ce que James avait connu, mais cela ne suffisait pas à combler le gouffre qui les séparait.

En signe de protestation, il sentit son sexe se manifester dans son pantalon. Il décida de partir se changer, convaincu que la meilleure chose à faire était de délaisser cette fille pour le bien de sa tranquillité. Et de sa libido.

— Ce n'est pas tout à fait ça, répondit Beth en riant à la question de sa sœur.

— Qu'est-ce que c'est, alors ? Tu lui donnerais combien ? Neuf? Huit ? Ne me dis pas qu'il valait moins de zéro ? la provoqua Tammer, fermement décidée à évaluer les performances de James.

— Je refuse d'aborder le sujet avec ma petite sœur. C'est parfaitement déplacé. N'empêche, il mérite 9,5, voire 9,6.

Tout en se promenant autour de la piscine, elle frôla une colonne de marbre du bout des doigts.

Le cri poussé par sa sœur l'obligea à écarter le téléphone de son oreille.

— Tu es folle ? Tu veux que je sois sourde, c'est ça ? Sérieusement, Tammer, ne t'emballe pas. Je ne suis ici que pour le week-end. Ensuite, on reprend notre vie normale, d'accord ? Ne donne pas plus d'importance qu'il ne le faut à cette histoire.

— Tu couches avec un mec pour la première fois depuis… disons… dix ans. Bien sûr que c'est important. Le type est un héros sexy et charmant. Comment veux-tu que je me calme ?

De toute évidence, Tammer n'allait pas lâcher l'affaire aussi facilement.

— Tu exagères, ça ne fait pas dix ans. Et je n'ai pas l'intention de m'engager dans une relation sérieuse avec lui. J'ai de bonnes raisons de ne pas le faire. Tu te souviens de mes ambitions professionnelles une fois que j'aurai quitté l'armée ? Eh bien il s'avère que son père est à la tête de... cette boîte. Crois-moi, il ne tient pas du tout à me voir rester avec James. Si je fais ça, je peux dire adieu à ma carrière. Pour l'instant, j'espère seulement pouvoir entrer dans cette boîte sans me faire remarquer par le patron.

Elle eut un nœud à l'estomac. Plusieurs fois, elle avait frôlé la mort sous les tirs ennemis et pourtant, cette situation lui semblait autrement plus dangereuse et la rendait nerveuse. On la sortait de la zone de sécurité. Même les vêtements Jimmy Choo la mettaient mal à l'aise.

— Beth, ce n'est qu'un métier. Il y a des choses plus importantes : la vie, par exemple.

— Pas pour moi. Ma carrière, c'est ma vie et tu le sais.

— Oui, je sais, mais ce n'est pas une bonne chose pour autant, marmonna Tammer d'une petite voix.

Beth sentait que sa petite sœur baissait les bras.

— Comment va mon chien ? Je lui manque ? s'enquit-elle, un brin nostalgique.

— Non, Jubilee ne se rappelle même pas de toi. Alors amuse-toi, couche avec qui tu veux, et reviens à la maison pour vivre avec ce souvenir pendant dix nouvelles années.

En fond sonore, Beth entendit son chien hurler comme chaque fois que Tammer lui faisait un signe de la main. Le bruit lui fendit le cœur.

— Vous me manquez tellement, tous les deux… Hé ! Puisque je te dis que ça fait moins de dix ans !

Mais Tammer avait déjà raccroché. Beth sourit une seconde à son téléphone avant de le ranger dans son sac à main.

— Tu es prête ? appela James depuis l'autre côté de la piscine.

Elle leva les yeux. Heureusement, il était assez loin pour ne pas remarquer la réaction de Beth qui devait avoir la langue pendante devant son costume gris charbon, sa chemise blanche éclatante et sa cravate d'un bleu profond. *Waouh.*

— Prête, répondit-elle en le rejoignant. On y va en voiture ? Ou y a-t-il un transport prévu pour tout le monde ?

Elle tenait à garder la conversation en terrain neutre. Comme la Suisse.

— Un chauffeur est à la disposition de tout le monde, mais je me suis dit qu'en prenant l'Audi on éviterait le risque d'être coincés avec eux là-bas.

Beth sourit.

— Je peux conduire ?

La mine de James se décomposa. Il regarda ses clés, puis la jeune femme.

— Hum, je ne… Je ne laisse jamais…

Elle éclata de rire.

— C'est bon, j'ai compris. De toute manière, je ne m'attendais pas à te voir céder ton bébé aussi facilement. Pas de problème, c'est toi qui conduis.

Le soulagement qu'elle lut sur son visage la fit rire de plus belle.

— Je te jure, on dirait vraiment que tu y tiens comme si c'était ton bébé.

— C'est le cas, admit-il malgré lui.

— Allez, viens. Pauvre petit.

Le trajet ne fut pas long et Beth prit soin de ne pas s'aventurer sur des sujets trop hasardeux. Plus qu'un jour à tenir.

Lorsqu'ils arrivèrent au restaurant, ils furent dirigés vers leur table. Les Walker avaient tout simplement pris possession des lieux. L'étage entier était occupé par leurs dix tables rondes accueillant sept personnes chacune. *Un dîner de répétition intime, ben voyons.*

Sadie les retrouva à l'entrée et s'accrocha aussitôt au bras son frère.

— Heureusement que je ne t'ai pas demandé de venir à la répétition. Elle est partie dans tous les sens, personne ne se souvenait de ce qu'il devait faire et le Blackberry de Simon n'arrêtait pas de sonner. À cause d'une urgence au travail, il s'est éclipsé la moitié du temps. (Elle poussa un soupir.) Si je tiens, c'est uniquement parce que je pense à ma lune de miel. (Une pensée la ramena vivement les pieds sur terre.) Au fait, Beth, je suis vraiment désolée, on a dû vous séparer. Papa a mis James à la table de Maisie et de quelques hommes du congrès. Tu te retrouves à une bien meilleure place, avec Harriet. Tu veux bien lui tenir compagnie ?

— Pas de problème. Quelle table ? demanda Beth, à la fois rassurée et inquiète de ne pas être à côté de James.

Pff… Si ça se trouve, il aimerait échanger et rejoindre Harriet. Avec un regard chagriné pour le jeune homme, elle suivit la direction que pointait Sadie. En effet, Harriet était déjà assise, seule au fond de la salle. Elle avait les yeux rivés sur un verre de cocktail à moitié plein. Beth intercepta un serveur afin de commander un deuxième verre pour Harriet et un mojito pour elle.

— Harriet ? fit-elle en s'approchant de la table.

— Beth ! Je suis rassurée de savoir que vous êtes assise avec moi. Où est James ?

— Il a été placé avec les gros bonnets politiques, je crois. Je nous ai commandé des boissons, l'informa Beth en lançant un regard par-dessus son épaule à la recherche du serveur.

— Je vous bénis ! Du coup, je culpabilise pour ce je viens de faire…, dit Harriet en reprenant une gorgée de cocktail avant de chasser une mèche de ses longs cheveux blonds.

Soudain méfiante, Beth examina le siège qui l'attendait près de la jeune femme. Y avait-elle mis un coussin péteur ? Des punaises ? Une fois certaine qu'aucun piège tendu par l'ex de James ne l'attendait sur cette chaise, elle s'assit.

— Qu'est-ce que vous avez fait de si terrible ?

— Pour une raison qui m'est inconnue, on m'a mise à côté de Jeffrey, l'ex de Sadie. J'ai troqué ma place pour la vôtre. Le seul fait de savoir qu'il est à notre table me donne envie de boire mon cocktail d'une traite.

Beth vérifia le carton de son voisin. En effet, c'était Jeffrey. Génial.

— Ce n'est rien, je ne l'ai rencontré qu'une fois, au *JibJab*. Il a survécu à ma présence. Promis, je n'essaierai pas de l'achever. Pas à table en tout cas.

Les yeux écarquillés de surprise, Harriet se mit à rire.

— Je vous adore. Dites, on peut se tutoyer, non ?

Comme Beth acquiesçait, leurs boissons furent servies et elles trinquèrent ensemble.

— Alors comme ça, tu as rencontré Sadie à la fac ? Est-ce que tu l'as connue par le biais de James, puisque tu sortais avec lui ? s'informa Beth. Tu sais qu'elle m'a demandé de te tenir compagnie ?

Le sourire de Harriet s'effaça légèrement.

— Sadie et moi, on est amies depuis longtemps. Contrairement à ce que tu crois, je l'ai connue avant James. Elle se fait du souci pour moi.

Sous le regard interrogateur de Beth, elle s'expliqua.

— C'est le premier mariage auquel j'assiste depuis le mien. Sadie a peur que ça déclenche une espèce de crise de larmes chez moi.

— Oh, je suis désolée. Ça s'est mal terminé ?

Au moment même où elle prononçait ces mots, Beth se souvint du récit de James au sujet de Harriet qui était à présent veuve.

— De la pire manière, marmonna-t-elle en buvant son cocktail. Il a été tué en Afghanistan.

La douche froide. James ne lui avait pas dit que Harriet avait été femme de soldat.

— Je suis désolée. En effet, c'est pire que tout.

— Ça va, je t'assure. C'était il y a sept ans. Et puis, mon mariage n'avait rien à voir avec celui-ci.

Sadie peut se rassurer, rien de toute cette opulence ne pourrait me rappeler ma propre cérémonie.

— Aucune ne ressemblera jamais à celle-là, acquiesça Beth. Bon, oublions un peu tout ça. Qu'est-ce que tu fais dans la vie ?

Capable de faire plusieurs choses à la fois, elle leva un doigt pour appeler un serveur tout en s'informant sur sa voisine de table. Harriet se cala dans sa chaise et se détendit pour la première fois depuis que Beth l'avait rejointe.

— Je suis conseillère en archéologie, je travaille à mon compte. Je sais, tu vas me demander quel rapport il y a entre conseil et archéologie.

Une étincelle dans le regard, elle se pencha en avant pour raconter l'histoire de sa carrière.

— En réalité, je m'intéresse à la portée culturelle des découvertes archéologiques, en particulier sur les propriétés privées ou les propriétés en développement. Tu as entendu parler de villages datant de l'âge de pierre découverts pendant les travaux de construction d'une route ou d'un supermarché ? La justice fait appel à moi pour les aider à décider s'il vaut mieux préserver le site ou poursuivre les travaux, et, dans le cas d'une préservation, comment s'y prendre.

— C'est fascinant. Tu dois avoir des ennemis dans le milieu, non ? Ce doit être compliqué de donner tort à une entreprise lancée dans la construction d'un centre commercial, par exemple.

Harriet lui décocha un sourire en coin.

— Parfois, c'est justement ce qui est amusant. En revanche, le point négatif, c'est qu'on est constamment entourés d'avocats. Et ça, c'est moins drôle.

Levant son verre en signe de soutien moral, Beth l'invita à trinquer encore une fois. Tandis qu'elles buvaient, une ombre passa derrière elle et Harriet poussa un grognement étouffé.

— Bonsoir, les filles, lança Jeffrey en prenant place à côté de Beth. Harriet, salua-t-il la jeune femme d'un hochement de tête, et cette dernière répondit par un geste vague de la main. Et Beth. Ravi de te revoir. J'ai hâte de discuter un peu avec toi. Justement, j'ai demandé à Sadie de nous mettre à côté pour en apprendre un peu plus sur toi.

Beurk. Qui mentait ? Lui ou Harriet ? Elle était prête à parier sur Jeffrey. En tout cas, grâce à l'ex de James, la voilà coincée avec ce type pour la soirée. Elle donna un coup de pied à Harriet sous la table et cette dernière éclata de rire dans son verre.

Un jeune homme grand et charmant s'approcha de la table et se présenta. Matt, ami du futur marié. Beth devina aussitôt qu'il travaillait dans l'armée, il avait cette posture reconnaissable, la coupe de cheveux et la confiance qu'ont généralement les soldats. Il s'assit à côté de Harriet qui le salua chaleureusement. Au fond d'elle, Beth se demanda si Harriet voyait également le soldat qui se cachait en cet homme, et si elle prenait ses distances ou non avec l'armée.

Matt tendit la main à Harriet en s'asseyant et ne la relâcha qu'à l'arrivée du serveur qui venait prendre leurs commandes.

— Un bourbon pour moi et une autre tournée pour les demoiselles, demanda Matt en glissant un billet de cent dollars dans la main du garçon. Et revenez souvent.

Harriet se pencha à son oreille.

— Je crois que les boissons sont offertes.

— Peut-être, mais maintenant, on a notre propre serveur, murmura Matt en retour.

Levant les bras en l'air, Harriet s'écria :

— Excellent !

Le sourire aux lèvres, Beth constata le regain d'énergie de Harriet, sans doute stimulé par ses trois cocktails.

— Alors que fais-tu dans la vie, Matt ?

Il s'adossa, mit les mains derrière la tête et sourit aux jeunes femmes.

— Je peux tout faire.

Légèrement présomptueux, pas vrai ? Beth sirota sa boisson en secouant la tête.

— Je n'y crois pas.

— Quoi ? fit Matt en inclinant la tête sur le côté. Tu ne me crois pas ? Pourtant, je t'assure qu'il est pratique de m'avoir sous la main.

Harriet se rangea du côté de Beth.

— Oh, bien sûr, c'est évident, tu es sans doute très utile. Mais tu sais, il existe des femmes qui n'ont pas besoin de l'aide des hommes.

Face à la taquinerie de sa voisine, Matt eut comme une étincelle dans le regard. Il se pencha en avant, les avant-bras sur les genoux.

— Vraiment ? J'ai du mal à le croire.

Harriet fit mine de réfléchir, un doigt sur le menton. En quoi aurait-elle besoin d'un homme ?

— Il y a bien une chose… Une seule petite activité délicate pour laquelle, personnellement, j'ai régulièrement besoin d'un coup de pouce.

De toute évidence, Matt allait craquer sous la provocation de Harriet, ce que Beth trouvait très amusant, mais elle ne pouvait s'empêcher de penser à James. En le cherchant du regard, elle le trouva en pleine conversation avec l'une des élégantes femmes blondes installées à ses côtés. Autour de sa table, il n'y avait pas seulement des pointures du congrès. Beth eut la sensation de regarder un rêve lui glisser entre les doigts. Comme elle portait la main à son verre de cocktail, elle vit l'alliance briller à son annulaire et ne put s'empêcher de la contempler longuement, de la frôler avec son pouce. Le problème étant que cette bague était la seule chose palpable dans leur relation. Rien d'autre n'était réel.

Elle reporta son attention sur sa propre tablée lorsque Harriet laissa échapper un rire sonore. Au moment où elle se retourna vers ses voisins, Matt approcha sa chaise de Harriet avec le sourire satisfait du chat qui a repéré le bol de crème. Mince. Tant mieux pour Harriet, mais Beth se retrouvait en tête à tête avec Jeffrey.

— Est-ce que tu passes un bon moment à ce mariage ? lui demanda-t-elle d'une voix neutre.

Tout l'alcool du monde ne serait pas suffisant pour l'aider à supporter un repas entier avec Jeffrey.

— Oui, ça va. Dommage que le programme de demain soit réduit. Je ne serai là que pour la réception du soir.

Il avait les pommettes roses et Beth s'interrogea sur le nombre de verres qu'il avait bus avant de venir au restaurant. Prise d'une pointe de compassion pour lui, elle se demanda si cet homme – certes, très bizarre – s'était remis de sa rupture avec Sadie. Elle regrettait à présent de ne pas avoir demandé à Harriet pourquoi elle n'aimait pas Jeffrey.

— En tout cas, les personnalités les plus importantes sont invitées, observa Beth. Tu as de quoi trouver de nouvelles cibles si l'envie te prend de fouiller le passé des gens.

Oups. Elle arrondit les angles avec un sourire.

Jeffrey reprit tristement une gorgée de boisson.

— Oui, je suis désolé. Ce n'était pas malin de ma part. Je voulais seulement te prévenir : les Walker sont spéciaux, balbutia-t-il avant de finir son verre d'une traite. Mais je pense que tu l'as déjà compris. Je t'ai vue tripoter ton alliance comme si elle n'était pas à sa place. Tu sais, on ne récompense pas les gens qui se marient malgré eux. Un ami t'aiderait à filer tant qu'il est encore temps.

Avec ou sans alcool, Jeffrey prouvait par cette observation qu'il avait reçu un entraînement intensif pour entrer à la CIA. Beth s'en voulut de lui avoir laissé l'opportunité de la percer à jour en tripotant l'imposture de son annulaire, mais sa situation ne semblait pas l'intéresser car elle remarqua qu'il lançait des regards en coin en direction de la table d'honneur où se tenait Sadie.

— Je ne pense pas qu'elle ait besoin d'un ami pour filer. Elle semble heureuse, tu n'es pas d'accord ?

— Oui, en tout cas, c'est ce qu'elle laisse paraître. Mais je la connais mieux que personne.

Jeffrey remua sur sa chaise puis posa les yeux sur Beth avec insistance.

— Et toi ? reprit-il. Tu es sûre que James est amoureux de toi ?

Prise de court, elle but une gorgée de mojito pour se donner le temps de trouver une réponse. Au moment où elle s'apprêtait à vanter l'amour véritable et inconditionnel de James, il la coupa dans son élan.

— Je ressentais la même chose avec Sadie. Pour ça, les Walker sont très spéciaux. Ils ne dévoilent que soixante pour cent de leur vraie personnalité, devant qui que ce soit. Ils gardent leurs distances, comme s'ils étaient prêts à nous repousser au moindre faux pas.

Beth voulait défendre James et sa famille, mais finalement, elle ne les connaissait pas assez bien pour donner tort à Jeffrey.

— On est tous différents, généralisa-t-elle simplement. Les situations sont différentes. Qui peut affirmer que telle ou telle personne aime sincèrement ou non ?

Aïe, les mots étaient sortis tout seuls de sa bouche. Elle observa son verre vide. Ce devait être à cause de ça.

— En tout cas, James t'a laissée toute seule à cette table avec moi. Tu devrais peut-être... aimer celui qui reste à tes côtés ?

Sur ce, il lui caressa doucement le bras. C'était une blague ? Cette fois, Beth le chassa d'une chiquenaude.

— Tu crois sérieusement que ça la rendra jalouse ? Personnellement, j'en doute.

Le visage de Jeffrey se décomposa. Elle eut alors un vague sentiment de compassion pour lui, mais quitta rapidement cette mauvaise voie en secouant la tête. Jeffrey pouvait-il être l'anonyme qui envoyait des e-mails menaçants ? Avait-il pu tenter de dissuader Sadie de se marier ? Un agent de la CIA serait-il assez maladroit pour passer par des e-mails ? Non, impossible. Et puis, à voir son air rêveur, elle ne l'imaginait pas vouloir du mal à Sadie, contrairement aux hommes cagoulés dans le bar.

— En quoi consiste ton travail, exactement ?

Elle voulut changer de sujet en espérant qu'il reprendrait son discours d'autosatisfaction au sujet de son importance dans l'entreprise.

— Je suis le bras droit du directeur Walker. J'agis dès qu'il a besoin de moi. À ce propos, je suis assez surpris qu'il n'ait pas arrangé ce mariage plus tôt. Apparemment, il laisse Sadie prendre certaines décisions. C'est bien la première fois que je ne suis pas impressionné par sa façon de diriger les gens qui l'entourent.

Sur ce, il but une gorgée du nouveau verre que venait de lui apporter le serveur et grinça des dents en savourant l'arôme du whisky.

On apporta les entrées à cet instant, et quatre invités firent leur entrée. Des collègues de travail de Sadie. Ils saluèrent Jeffrey avec un brin trop d'emphase avant de se présenter auprès de Matt, Harriet et Beth avec bonne humeur.

Matt se leva brusquement et proposa à Harriet de sortir fumer une cigarette. Beth reconnut dans le regard du jeune homme une crainte refoulée : il avait besoin de s'éloigner de la foule. Elle reconnaissait les agoraphobes de loin. Pour plaisanter, elle donna un coup de pied sous la table à Harriet qui se leva à son tour et le suivit jusqu'au patio du restaurant.

Comme ils entamaient le repas, la conversation de la tablée tourna autour des restaurants, chacun y allant de son grain de sel quant aux adresses incontournables à Washington.

En écoutant d'une oreille, Beth laissa ses pensées dériver vers d'autres sujets. Harriet et Matt semblaient dans leur bulle, plongés dans des discussions en messes basses, se touchant parfois le bras. L'espace d'un instant, Beth se sentit presque jalouse de la jeune femme qui rencontrait ainsi un homme dans des circonstances parfaitement fortuites. Qui n'a jamais rêvé de rencontrer quelqu'un à un mariage ?

Les derniers arrivés étaient enchantés de monopoliser l'attention de Jeffrey avec des potins de travail au sujet de tel ou tel collègue de bureau, caressant dans le sens du poil le bras droit du directeur comme seuls les employés du gouvernement savent si bien le faire. Beth aurait dû en faire de même. Elle faisait partie du clan.

Après le dessert – des crêpes Suzette préparées sous les yeux des convives – James s'approcha de leur table et proposa à Beth de s'en aller. Elle dit au revoir à ses voisins, étreignit Harriet qui venait de refaire une apparition, et suivit James.

Dès qu'ils se furent éloignés du restaurant, elle poussa un long soupir de soulagement.

— C'était si terrible que ça ? demanda James en passant un bras autour de ses épaules.

— Je te rappelle que j'étais assise à côté de Jeffrey. Et toi, comment était ta table ?

Il lui ouvrit la portière de sa voiture et ne répondit que lorsque la sienne fut refermée derrière lui.

— Ma table était finement calculée. Il y avait moi, deux sénateurs dont chacun recherchait son directeur de cabinet et un entrepreneur militaire à son compte en quête de chefs d'exploitation. Et puis, deux femmes célibataires. Elles devaient sans doute une fière chandelle à mon père.

Grinçant des dents, James changea de vitesse et s'engagea sur la route nationale.

Elle compatit. Une minute seulement.

— Ce doit être pénible d'avoir ses parents constamment sur le dos dès qu'il s'agit de ton avenir professionnel. Je comprends ce que tu ressens, je t'assure. Je t'ai déjà dit que pendant des années j'ai fait en sorte que ma mère soit heureuse au détriment de mes propres ambitions. Mais à présent, je serais prête à faire une croix sur ma carrière pour une année de plus avec elle. Pour que Tammer ait la chance de la connaître mieux. Ne serait-ce qu'un mois. Alors ne cesse pas de les voir parce qu'ils t'agacent, conclut-elle avec une voix faible sur ces derniers mots, et son regard se perdit à travers la vitre. Et ne fais pas semblant de fréquenter quelqu'un juste pour te simplifier la vie.

Un lourd silence eut le temps de s'installer avant que James ne reprenne la parole.

— Je suis sincèrement désolé, Beth. Tu dois nous prendre pour une bande d'idiots, ma famille et moi. Et c'est ce qu'on est, j'en suis bien conscient. Je me sens surtout idiot de t'avoir emmenée ici. Dans la voiture, avant de venir, l'idée paraissait amusante, mais je vois que tu le perçois différemment. Je t'aime bien, j'avais seulement envie de passer plus de temps avec toi. Ce week-end est parti en sucette, mais quand on y repense, certains moments étaient plutôt agréables, non ?

Elle resta silencieuse. Tous deux connaissaient la réponse à cette fausse question. Sur le plan sexuel, tout fonctionnait à merveille, mais entre deux parties de jambes en l'air, tout était compliqué.

— Qu'est-ce que tu veux ? demanda-t-il. Quelle serait l'issue idéale pour toi ? La veille, elle aurait répondu qu'elle voulait seulement s'amuser et profiter de l'instant présent. Dans l'après-midi, elle aurait été curieuse de voir ce qui se passerait à la fin du week-end. Mais maintenant, entre le poste de ses rêves à la CIA qui lui glissait entre les doigts et la folie du père avec son chèque, elle n'avait plus qu'une envie : rentrer chez elle. Elle avait besoin d'un déploiement, et James avait besoin… En fait, elle ignorait ce dont il avait besoin. Sans doute d'une amourette de passage, mais entre eux, cela ne pourrait jamais fonctionner.

— Je veux seulement rentrer chez moi dimanche et reprendre une vie normale.

Il y eut un nouveau silence pesant dans l'habitacle avant que James ne lâche :

— D'accord.

Chapitre 15

Au moment de se coucher, ils n'échangèrent presque aucune parole, si ce n'est un « pardon » en se bousculant à la porte de la salle de bains, du dressing ou de la chambre. L'instinct de James lui hurlait de regarder cette femme droit dans les yeux, de lui dire combien il l'appréciait, de lui avouer son envie de partager sa vie avec elle, une envie qui le tenaillait depuis le jour de leur rencontre. Depuis le début du week-end, il n'avait pu s'empêcher de poser les mains sur elle, mais ce soir, il devrait s'abstenir. Sans un mot, il lui tendit un tee-shirt en guise de pyjama et s'allongea sur un côté de l'immense lit. Ce *King Size* leur permettrait de dormir à leur aise sans avoir à se frôler.

Ils étaient couchés dans le noir depuis vingt minutes lorsqu'il l'entendit bâiller. Quand on dort, on ne bâille pas. Il la prit par la taille et l'attira contre lui. Beth voulut résister et remua pour lui échapper, mais elle se détendit peu à peu et se laissa enlacer.

Envoûté par le parfum de ses cheveux, James s'endormit. Les derniers mots flottant dans son esprit furent : « Le bordel total. »

Au matin, l'annexe était plongée dans l'obscurité des nuages. La pluie menaçait et le grondement du tonnerre se faisait entendre au loin. Un climat qui correspondait parfaitement à l'humeur de James.

Tandis qu'ils se préparaient pour le petit déjeuner, ce même silence continuait de peser sur la petite maison, à tel point qu'il avait presque hâte de rejoindre tout le monde, même si cela devait impliquer de se rapprocher de sa famille. Ils ne valaient pas la compagnie de Beth, loin de là, mais il avait besoin de temps pour réfléchir, pour imaginer une sorte de déclaration qui ne la ferait pas fuir en courant.

Quel pétrin. Lui, l'homme d'action, se retrouvait à planifier des conversations par peur de perdre une femme. D'où venait le problème ? En fait, il était déjà passé à l'action, c'était justement là que les choses s'étaient corsées. Toutefois, il lui restait une carte à jouer : après le mariage, il aurait cinq heures de route pour la ramener à la raison.

James voulait qu'elle fasse partie de sa vie et n'abandonnerait pas tant qu'elle n'accepterait pas d'essayer de lui faire une petite place dans la sienne.

— Tu es prête ? demanda-t-il lorsque Beth sortit de la salle de bains, tout apprêtée.

Elle sourit.

— Je meurs de faim.

Ce sourire et son allure gracieuse lui renversaient le cœur. Il était fichu. Aucune échappatoire. Elle portait un tailleur rose sombre, ce même rose que celui de ses sous-vêtements dans la cabine d'essayage. C'était deux jours plus tôt, et pourtant, une éternité semblait s'être écoulée. En lui proposant son bras pour se mettre en route, James se demanda si elle portait justement l'ensemble rose sous ces jolis vêtements.

Au moment où ils pénétrèrent dans l'imposante demeure, le père disparaissait dans son bureau, suivi de quelques collègues de travail aux cheveux grisonnants assortis à leurs costumes. La mère et Gracie étaient dans le hall d'entrée, occupées à relire des notes.

— Serions-nous en retard pour le petit déjeuner ? s'inquiéta James en regardant sa montre.

— Non, non, allez-y, répondit Mme Walker en désignant la petite salle à manger.

Mais avant qu'ils n'aient le temps d'y entrer, on claqua une porte à l'étage.

Sadie dévala l'escalier en sous-vêtements, comme si ses cheveux prenaient feu.

— Ma robe est trop grande ! s'exclama-t-elle. Elle me fait des fesses énormes !

En faisant la grimace, James détourna le regard comme si la vision de sa sœur en dentelle blanche lui était insupportable. En réalité, tout le monde était mal à l'aise.

— Tu ne peux pas appeler le couturier ? lui répondit-il.

Elle ne pouvait pas rester ainsi à moitié nue dans le couloir alors que les collègues du directeur Walker étaient juste derrière la porte. Beth la prit par le bras et l'accompagna dans les escaliers.

— Je m'en occupe, lança-t-elle.

D'un hochement de tête qui sembla rassurer Sadie, elle l'emmena dans sa chambre et laissa James seul en bas.

— Lorsque vous redescendrez, prenez Maisie avec vous, leur cria la mère en se tapotant l'arrière de la tête.

Beth se demanda si elle parlait toujours en public en tripotant son chignon. Ce devait être un tic nerveux.

— Je t'attends dans la salle de billard, l'informa James.

La pièce qui faisait également office de bar pour la famille. Beth comprit que le petit déjeuner tombait à l'eau.

— Oui, je te rejoins tout à l'heure.

Sadie lui ouvrit la porte de sa chambre où les attendait un nuage de parfum poivré. Harriet était assise sur le lit de son amie.

— Désolée. J'aurais voulu l'aider avec sa robe, mais ce n'est vraiment pas mon domaine.

Beth se mit à rire.

— Je suis surprise. Tu as réussi à te décoller de Matt ? Quand je suis partie hier soir, vous étiez inséparables.

Harriet battit des cils.

— Ce n'était qu'une aventure le temps d'un repas. Simple, amusant…

Inclinant la tête sur le côté, elle leur décocha un sourire.

— Espèce de garce, je suis presque jalouse, grommela Sadie. Beth se tourna vers elle.

— Bon, montre-moi où est le problème.

Tandis que la jeune femme enfilait délicatement sa robe, on tira la chasse d'eau dans la salle de bains attenante. Maisie en sortit, portant une robe violette magnifique assortie à la pointe de ses cheveux. Dès qu'elle aperçut Beth, elle souleva le long jupon pour lui dévoiler les bottes cachées dessous.

— Génial, s'exclama Beth avant de les contempler toutes les trois, les deux demoiselles d'honneur et la mariée dans sa robe fourreau. Vous êtes sublimes.

Le sourire aux lèvres, elle accepta la flûte, remplie à ras bord de champagne, que lui tendait Harriet. Elle but une gorgée et ajouta :

— Et maintenant, je vous trouve encore plus belles.

Elles éclatèrent de rire.

— Bien. Où puis-je trouver un nécessaire à couture ? demanda-t-elle en reposant la flûte.

Il n'était pas conseillé d'être trop alcoolisée pour retoucher une robe qui coûtait sans doute plus d'un an de son salaire. La couture qui marquait la taille de Sadie semblait pouvoir être raccourcie de plus d'un centimètre, cela ne lui prendrait pas plus d'un quart d'heure, peut-être moins.

S'écriant qu'elle avait la boîte à couture de sa grand-mère dans sa chambre, Maisie se précipita dans le couloir pour aller la chercher.

— Alors, toi et James ? fit Sadie. Vous avez choisi la date ? Ou est-ce que ce joyeux bazar t'a enlevé l'envie de faire partie de la famille ?

Bien. Elle n'échapperait donc pas à cette question plus longtemps.

Ne gâche pas le mariage de Sadie. Ne gâche pas le mariage de Sadie.

— Est-ce que tu penses que tes parents nous laisseraient nous marier en toute intimité ? Sur la plage, par exemple ?

L'image apparaissait déjà dans son esprit : pieds nus, des fleurs dans les cheveux, une robe flottant au vent, un bouquet de pâquerettes à la main. Et James. Il porterait des lunettes de soleil et marcherait sur le sable chaud. Elle se ressaisit. *Ça n'arrivera jamais.*

— Aucune chance, désolée. Tu dois comprendre que mon père est fermement décidé à faire entrer James en politique.

— Mais il n'en a pas envie, s'insurgea Beth avant de marquer une pause. Hier soir, ton père l'a installé à une table avec des personnes intéressées par son profil. James s'en fichait complètement.

— Bien sûr qu'il s'en fiche, rétorqua Sadie. Regarde, je n'ai jamais voulu être avocate, et pourtant, j'y suis et je travaille pour le gouvernement. Ce n'est pas facile de dire non à notre père.

Elle tourna sur elle-même, l'air pensif en admirant sa traîne derrière elle.

Un bruit sec résonna au rez-de-chaussée. Harriet gloussa.

— On n'est pas les seules à démarrer les festivités en avance !

Sur ce, elle reprit la bouteille de champagne et remplit plusieurs flûtes.

Beth se figea. Ce n'était pas le bruit d'un bouchon de champagne. Le son qu'elle venait d'entendre, elle le connaissait bien et son sang ne fit qu'un tour. C'était un coup de feu.

Nouvelle détonation.

— Oh, bon sang ! fit Harriet. Déjà deux bouteilles, on devrait peut-être les rejoindre.

Beth leva une main.

— Chut !

Elles se turent. Sadie fronça les sourcils.

— Qu'est-ce qu'il y a ?

Elle croisa le regard inquiet de Beth.

— Je ne suis pas certaine qu'on ait fait sauter un bouchon de champagne, mais je vais vérifier. Ne bougez pas d'ici, d'accord ?

— Beth, on est au cœur d'un véritable bunker. En termes de sécurité, on ne risque rien. Arrête de t'inquiéter.

— Je suis sûre que ce n'est rien de grave. Je reviens tout de suite.

Elle se dirigea doucement vers la porte entrouverte de la chambre. Sadie lui murmura :

— Je t'interdis de me faire peur pour rien le jour de mon mariage. Compris ?

Lui lançant un dernier regard, Beth se glissa dans le couloir et se faufila discrètement jusqu'à l'escalier, où elle s'accroupit en maudissant sa jupe étroite. Si on la surprenait ainsi alors qu'il s'agissait effectivement d'un bouchon de champagne, elle pourrait dire adieu à sa fierté.

Elle leva rapidement la tête pour un bref coup d'œil vers le rez-de-chaussée. Rien. Tandis qu'elle reculait pour se relever, elle entendit un bruit. On se battait. Nouveau coup d'œil, et cette fois, elle aperçut un homme armé d'un Glock et portant une cagoule noire. Il se dirigeait vers la salle de réception.

Mince.

Elle avait une seconde pour réfléchir. James était dans la salle de billard. Le directeur Walker et ses invités étaient probablement encore dans le bureau. Maisie…

Elle fit volte-face juste à l'instant où l'adolescente sortait de sa chambre avec la boîte à couture. Beth quitta ses chaussures, les prit à la main et courut vers Maisie en posant un doigt sur ses lèvres. Elle chuchota à son oreille :

— Il se passe quelque chose en bas. Ne fais pas de bruit, ne dis rien, et suis-moi. Compris ? Maisie écarquilla les yeux mais elle hocha la tête en silence. Beth la prit par la main et ouvrit doucement la porte de la chambre de Sadie. Elles se faufilèrent dans la pièce.

Les deux amies gloussaient en buvant du champagne. Beth prit une profonde inspiration.

— Il y a au moins un homme armé et cagoulé en bas, dit-elle à voix basse. Ne paniquez pas et ne faites pas de bruit.

Oups. Pas très subtil.

Le visage de Sadie pâlit et elle se laissa tomber sur le lit.

— Tu en es sûre ?

Elle tendit la main à Maisie qui se précipita dans les bras de sa sœur.

— Est-ce que cette porte ferme à clé ? Et celle de la salle de bains ?

— Oui, les deux, répondit Sadie en berçant doucement sa petite sœur.

Beth réfléchit une seconde.

— Maisie, j'ai besoin de tes bottes.

Sans attendre de réponse, elle ouvrit la boîte à couture et en sortit une paire de grands ciseaux. En une seconde, sa jupe crayon se trouva fendue jusqu'à la taille. Les mains de Maisie tremblaient et elle n'arrivait pas à défaire ses lacets.

— Attends, ma puce, je vais t'aider, lui chuchota Beth. Je ne laisserai personne toucher à un seul de tes cheveux, tu m'entends ?

Pourvu qu'elle dise vrai, espérait-elle en enfilant les bottes avant de soigneusement les lacer.

— Dès que je serai sortie, verrouillez derrière moi et gardez la clé avec vous. Ensuite, je veux que vous alliez dans la salle de bains. Fermez à clé, restez loin de la porte et de la fenêtre. Attendez mon retour. Je crierai pour que vous puissiez m'entendre. N'ouvrez à personne d'autre qu'à moi. Est-ce que c'est bien compris ?

Sadie leva une main pour la retenir.

— Ne le prends pas mal, Beth, mais tu devrais rester avec nous. N'empire pas les choses. Laisse les professionnels s'en occuper. C'est vrai, quoi. Que peux-tu faire contre un type armé ?

Beth termina la boucle de ses lacets, se releva et glissa les ciseaux dans l'une de ses bottes.

— Je travaille dans l'armée.

Puis, pour la première fois depuis son arrivée, elle leur décocha un sourire sincère. Enfin, elle était dans son élément, dans sa zone de sécurité.

James passait le temps en jouant quelques boules de billard lorsqu'il entendit le premier coup de feu. Il reconnut aussitôt la nature du bruit mais se demanda si ce n'était pas un agent de sécurité maladroit. Deuxième coup de feu. Il eut une poussée d'adrénaline comme jamais il n'en avait eue en dehors des frontières afghanes, et encore moins sans son uniforme. À pas de loup, il s'approcha de la porte qu'il ferma à clé avant de chercher une arme autour de lui.

Rien d'autre que des queues de billard ou des bouteilles d'alcool. Il s'efforça de ne pas penser à la victime des tirs. Sa famille était-elle touchée ?

Son père avait-il prévu une sécurité renforcée pour la journée ?

Quoi qu'il en soit, il n'allait pas attendre tranquillement l'arrivée de la cavalerie. Les invités de son père travaillaient à la CIA, certes, mais aucun d'entre eux n'était entraîné pour une situation concrète de combat. Au mieux, ils resteraient en sécurité dans le bureau. Son père déployait généralement ses agents de sécurité à l'entrée de la propriété. Les tours de garde ne commenceraient qu'au début de la cérémonie. Pour l'instant, il n'y avait qu'une cavalerie, et c'était James.

Il dévissa les plus grosses queues de billard et ne garda que les manches en guise de battes, plus faciles à manipuler.

Où était Beth ? Dans sa tête, il énuméra les personnes présentes à sa connaissance dans la maison : ses parents, environ trois collègues de la CIA, Sadie, Maisie, Beth, Gracie, et Harriet. Tous les autres étaient dehors pour terminer l'installation du chapiteau, hors de la protection des vitres blindées et insonorisées. *C'est la tuile.*

Il tourna lentement la clé dans la serrure et rejoignit le couloir. Presque aussitôt, il entendit une porte s'ouvrir. Dos contre celle de la salle de billard, il la garda ouverte et resta parfaitement immobile, conscient qu'on remarque plus facilement les mouvements que les choses figées.

Un homme cagoulé se dirigeait lentement vers la salle de bains. De toute évidente, la disposition des pièces de cette maison ne lui était pas familière. Il n'avait pas l'air d'un professionnel et ne regardait pas autour de lui. Ainsi, il n'avait pas remarqué l'ombre qui se cachait derrière lui, ce qui arrangeait clairement James.

Au moment où le bandit passait près de lui, James lui arracha son arme. Il lui coinça la tête sous son bras et l'entraîna dans la salle de billard, où il resserra son étreinte jusqu'à ce que l'homme s'évanouisse et tombe par terre. James lui retira sa cagoule mais ne reconnut pas ce visage. C'était trop facile : sa victime s'était à peine débattue et n'avait même pas paniqué. Belle contradiction. Il arracha les filets de la table de *snooker* et s'en servit pour lier les pieds et les mains du bandit.

Le chargeur de son arme avait deux balles manquantes. Il le remit en place et retourna dans le couloir. Personne en vue, mais il entendit quelqu'un se battre et un objet tomber au sol dans la cuisine. Il se précipita vers la petite porte en face de la grande entrée pour voir si les agents étaient arrivés, mais elle était fermée à clé.

Malin. Très malin. Les malfaiteurs étaient entrés et avaient joué la carte du confinement. Il faudrait une bonne demi-heure pour inverser le protocole de sécurité. James se dirigea vers la cuisine. Personne ne pourrait le prendre par surprise. Son arme levée au niveau des yeux, il donna un coup de pied dans la porte et surprit Beth qui retirait une grosse paire de ciseaux enfoncée dans la cuisse d'un homme cagoulé avant de l'assommer avec une poêle en fonte. Le soulagement, l'admiration et l'angoisse se disputaient la meilleure place. En regardant l'homme s'écrouler à terre, James rangea son arme dans la ceinture de son pantalon. Beth ramassa le pistolet du ravisseur en faisant la grimace.

— J'espère qu'il n'était pas embauché pour le divertissement de la journée.

— Ça m'étonnerait. Où sont les autres ?

— Les filles se sont enfermées dans la salle de bains de Sadie. En tout cas, c'est là que je les ai laissées.

Comme James l'avait fait plus tôt, Beth inspecta le chargeur du pistolet, puis arma le chien.

— Il est plein. Bizarre, j'ai entendu deux coups de feu.

— J'ai neutralisé un autre type dans la salle de billard. Il manquait deux balles à son arme. La porte d'entrée est verrouillée. L'autre aussi. Je suis à peu près sûr qu'on est confinés avec les types dans la maison.

Beth fit un pas en avant. Il l'attira aussitôt contre lui. En déposant un baiser sur son front, il se sentit encore une fois chamboulé, rassuré de la savoir en sécurité, et par-dessus tout, de savoir qu'ils affrontaient l'ennemi ensemble.

— Comment veux-tu procéder ? demanda-t-elle. J'ai vérifié les pièces à l'étage avant de descendre mais je suis là depuis un petit moment. Quelqu'un a pu monter. J'ai peur qu'il y ait d'autres hommes dans la maison. Le directeur Walker est dans son bureau, pas vrai ? Je ne vois pas qui d'autre pourrait les intéresser.

James se demanda pourquoi elle venait de faire référence à son père par son titre au lieu de dire « ton père », mais il n'avait pas le temps de remettre sa logique en question.

— Oui, il devrait encore y être avec ses collègues, en tout cas je l'espère. Si seulement je savais où se trouve ma mère. Si elle n'était pas à l'étage, je ne vois pas où elle peut être.

Sur la pointe des pieds, il essaya de regarder par la fenêtre mais, la cuisine étant en sous-sol, il ne voyait rien d'autre que la pelouse et les pieds du chapiteau.

— Tu crois qu'elle est sortie pour superviser les décorations ? Et Gracie ? Je pensais la trouver ici.

— C'est un vrai cauchemar !

— On se sépare ? demanda Beth en chargeant son arme.

La dernière chose dont il avait envie, c'était de se séparer de Beth. Il voulait la garder près de lui pour la protéger. Bon, d'accord, et pour qu'elle assure ses arrières.

Elle reprit :

— Je sais que tu préférerais qu'on reste groupés, mais on serait plus efficaces séparés puisque personne ne sait qu'on est… nous. On peut couvrir une plus grande zone et trouver d'autres personnes.

James hocha brièvement la tête. Elle avait raison.

— Le petit salon de ma mère est en face du bureau de mon père, la maison est symétrique. C'est le seul endroit où elle peut être.

— Je vais retrouver ta mère et Gracie pour les ramener à la chambre de Sadie. Ensuite, je te rejoindrai.

En observant l'homme allongé par terre, James se demanda s'il ne ferait pas mieux de le ligoter.

— Ne t'inquiète pas, le devança Beth. Je peux t'assurer qu'il ne se réveillera pas avant mardi prochain.

Il opina.

— J'inspecte le rez-de-chaussée.

— Ça marche.

Ils cognèrent leurs poings tenant les pistolets et échangèrent un sourire complice. Qui aurait cru qu'ils se retrouveraient sous les tirs ennemis sur le sol américain ? L'Afghanistan était une chose, mais McLean en Virginie en était une autre. En tout cas, c'était ce qu'ils croyaient. James se dirigea vers la porte qui menait au couloir mais se retourna au dernier moment :

— Tout ça…, fit-il en désignant l'espace qui les séparait. Enfin, je suis sincèrement désolé. Pour tout.

Elle haussa les épaules et répondit :

— Bonne chance, James. Ne te fais pas blesser.

Il sourit.

— Pareil pour toi.

Chapitre 16

Beth le regarda partir et attendit quelques secondes, décidée à attendre le bon moment pour s'éclipser à son tour.

Qu'elle le veuille ou non, elle tombait amoureuse de James, elle en était à présent convaincue. Malheureusement, c'était la pire des idées.

Oublie ça une seconde. Après avoir observé les alentours, elle s'approcha de la porte. Pas de coup de feu, pas de bagarre. Avant de sortir, elle décrocha le téléphone de la cuisine. Pas de tonalité. Ils avaient coupé les lignes.

Dans le couloir, elle leva les yeux vers l'escalier. Aucun mouvement, tout était calme. Cette fois-ci, elle s'engagea dans une partie de la maison qu'elle n'avait encore jamais explorée : les pièces derrière l'escalier. En effet, c'était le reflet parfait de l'autre moitié de la demeure, comme l'avait dit James, à cela près que les murs étaient peints en violet sombre.

Elle devait trouver Mme Walker, et vite. Pour James. Ensuite, sa dette envers lui serait payée.

Inspectant chaque pièce au passage, elle trouva enfin le pendant féminin du bureau où l'avait si agréablement reçue le directeur Walker.

L'oreille collée contre la porte, elle guetta d'éventuels signes de vie. Aucune voix, aucun bruit. Elle tourna la poignée et poussa la porte. Elle n'avait encore jamais ouvert de porte à coup de pied, ni mené une attaque sans personne pour assurer ses arrières. À l'heure à l'étage, elle avait donc décidé que la discrétion serait sa meilleure alliée.

La pièce parut vide. Beth entra alors en silence et referma la porte derrière elle. En face, deux autres portes. Peut-être des placards. Immobile, elle tendit l'oreille et entendit qu'on respirait. Dos contre le mur, elle inspecta les lieux. Un talon aiguille dépassait derrière un grand bureau d'époque.

— Madame Walker ? chuchota Beth. C'est moi, Beth.

Une tête apparut sous le bureau et la mère de James aperçut l'arme que tenait la jeune femme.

— Je savais que vous étiez malhonnête. Je le savais. Mon fils ne voudra sans doute plus jamais vous revoir, Dieu merci. Qu'est-ce que vous me voulez ? À quoi rime ce chantier ? Baissez votre arme.

Pour une otage potentielle recroquevillée sous un bureau, cette femme avait décidément une langue de vipère. Beth retira mentalement les gentilles paroles qu'elle avait dites à James pour défendre sa mère. Elle poussa un soupir.

— Levez-vous. Je ne vais pas vous faire de mal. Savez-vous où est Gracie ?

Ne sachant pas où ranger son arme, elle laissa simplement son bras pendre le long du corps.

— Même si je le savais, je ne vous le dirais pas.

— Bon sang, madame Walker ! Je n'ai rien à voir avec tout ça. James m'a envoyée à votre recherche. Les filles sont dans la chambre de Sadie.

— Joli récit. Où est-il ? Qu'avez-vous fait de mon fils ? Si vous avez touché à un seul de ses cheveux, je vous tue de mes propres mains.

Ses mots étaient comme des crachats au visage de Beth.

Que faire… Lors de tous ses précédents sauvetages, ce qui n'était généralement pas sa spécialité, elle portait un uniforme. Elle n'avait encore jamais eu à prouver qu'elle était du côté des gentils.

— Je ne sais pas quoi vous dire. Des hommes cagoulés sont entrés dans la maison, vos agents de sécurité ne sont pas là, et toutes les issues sont bloquées. James est parti à la recherche de votre mari et de ses collègues et je lui ai dit que je vous chercherais.

L'une des autres portes s'ouvrit lentement et Beth braqua immédiatement son arme vers la source du mouvement. Gracie sortit d'un placard. Beth baissa son pistolet, soulagée de ne pas avoir tiré.

— Moi, je la crois, dit Gracie en haussant les épaules.

Désespérée, Mme Walker plongea le visage dans ses mains.

— D'accord, murmura-t-elle. Mais bon Dieu, si vous mentez, je vous enfoncerai le talon de ma Louboutin directement dans l'œil.

Beth n'en doutait pas une seconde mais elle n'avait pas le temps de la calmer.

— Je vous accompagne jusqu'à la chambre de Sadie. Harriet, Maisie et Sadie sont dans sa salle de bains. C'est là que nous allons, d'accord ?

Il s'agissait d'une stratégie militaire : répéter l'objectif au cas où l'un des soldats n'ait pas fait attention la première fois.

— Restez bien derrière moi et ne dites pas un mot à partir du moment où nous quittons cette pièce, c'est compris ?

Elle les observa longuement. Le hochement de tête de Mme Walker était peu convaincant mais Beth le prit pour un « oui ».

Le couloir était calme, ce qui poussa la soldate à penser que cette histoire ne concernait que le directeur et ses collègues, cloîtrés dans le bureau. Elle se demanda si la pièce était sécurisée, comme une sorte de pièce de sûreté, ou s'il s'agissait d'un bureau comme les autres. Après s'être assurée qu'il n'y avait personne dans les environs, elle fit signe à ses deux protégées de la suivre.

Elles quittèrent le petit salon pour la rejoindre et, par habitude, Beth leva le poing. Gracie et Mme Walker se figèrent sans discuter, comme l'auraient fait ses troupes en situation de combat. Cela l'aurait amusée si elle n'avait pas eu le cœur lancé à cent à l'heure. Elle s'accroupit derrière un mur et inspecta discrètement l'escalier, pointa l'arme vers l'étage, puis le couloir derrière les marches.

Rien. Elle guida ses protégées vers le premier étage, mais, à mi-chemin dans l'escalier, elle entendit du bruit.

Terminant de grimper les marches d'un pas vif, elle se mit à couvert et jeta un coup d'œil vers la chambre de Sadie. La porte était ouverte. Zut.

Faisant signe à Mme Walker et à la bonne, elle leur ordonna d'attendre, dos contre le mur d'en face. Beth s'approcha discrètement de la porte. Dans la chambre, un homme portait Sadie sur son épaule et la jeune femme se débattait comme elle pouvait. Maisie essayait de s'agripper à sa sœur. *Jeffrey ? Qu'est-ce qu'il fiche ici ?*

Ah. Jeffrey. La jalousie de l'ex de la future mariée, les e-mails menaçants, cela avait du sens. Elle poussa un soupir.

— Non, je l'emmène ! Je dois la sauver, la mettre en sécurité. William m'a dit que…

— Laisse-moi descendre ! hurlait Sadie tandis que Maisie ne lui lâchait pas la main.

William ? Qu'est-ce que William vient faire là-dedans ?

Quelles que soient ses intentions, il allait devoir arrêter tout de suite. Beth n'avait pas peur de Jeffrey. Elle était à la hauteur. C'est alors qu'elle aperçut le pistolet dans sa main. *Et merde !* Voilà qui changeait les choses. Beth leva son arme, mais s'aperçut qu'il pouvait facilement tirer le premier. Or, trop d'innocents se tenaient dans le champ de mire. Poussant un juron en silence, elle regretta de ne pas avoir de ceinture pour y cacher son arme et dut se résoudre à la laisser par terre, discrètement posée derrière le mur.

— Que se passe-t-il ? lança-t-elle comme si elle arrivait à l'instant.

Maisie s'écria :

— Il essaie d'enlever Sadie ! Tu nous as dit de rester ici !

— Exact. Jeffrey, il ne faut pas aller au rez-de-chaussée, c'est dangereux. Tu devrais rester ici avec nous. Pose-la.

Le ton calme et posé de Beth sembla atteindre la folie du jeune homme qui relâcha Sadie. Elle voulut s'écarter mais il la retint, un bras autour du cou. Une étreinte convulsive et bestiale.

— Je veux la sauver ! Elle a besoin de moi ! William m'a dit que je pouvais la descendre.

— La descendre ? Tu veux la tuer ? fit Beth en reculant pour rejoindre son pistolet.

— Non, c'est pas ça ! La faire descendre. Il veut que je l'amène dehors.

Vraiment ?

— Où est William ? demanda-t-elle d'une voix aussi douce que possible.

La situation se corsait.

— En bas avec ses copains. Il a dit qu'il ferait diversion pendant que je sauverais Sadie. Je te l'avais bien dit : elle n'a pas envie de se marier.

Sadie ouvrit la bouche pour répondre mais, d'un regard, Beth la coupa net dans son élan. Il ne fallait surtout pas nourrir la folie de Jeffrey.

— Les copains de William sont armés. Regarde.

Elle récupéra son pistolet et le lui montra en le tenant par le canon pour qu'il ne se sente pas menacé.

— Tu vois ? Je l'ai pris à l'un des types en bas. Ce n'est pas une simple diversion pour plaisanter. Je crois que William est très sérieux.

Jeffrey desserra à peine son bras autour du cou de Sadie et plissa les yeux comme pour réfléchir à ce qu'il devait faire.

— Non, décida-t-il. Je l'emmène en sécurité.

Avec son otage, il se dirigea vers la porte, pointant son arme dans tous les sens.

Beth déglutit. Elle avait une envie folle de lui tirer dessus.

— C'est super, Jeffrey, bravo. Seulement, je ne suis pas sûre que Sadie soit d'accord pour que tu la sauves elle et pas nous. Tu crois franchement qu'elle te remerciera alors que tu nous as toutes abandonnées dans une situation aussi dangereuse ?

La meilleure chose à faire était de lui embrouiller l'esprit.

Sadie la regarda avec curiosité. Pourvu qu'elle comprenne le message.

— Beth a raison. Si ma sœur se faisait tuer, ou ma meilleure amie, tu crois vraiment que je te le pardonnerais ?

Jeffrey pouffa de rire.

— Personne ne se fera tuer.

Puis il referma la bouche, comme s'il craignait d'en avoir trop dit.

— Dans ce cas, comment expliques-tu les hommes armés et cagoulés, avec de vraies armes, de vraies balles ?

Ce type était fou. Parfaitement aliéné.

Un bras vint se poser sur l'épaule de Beth et elle fit volte-face.

James. Dieu soit loué. Elle sentit son cœur se calmer et son flux d'adrénaline ralentir. Elle avait envie de se blottir contre lui. Pour toujours.

— Qu'est-ce qui se passe, Jeffrey ? Ça porte malheur de voir la mariée avant la cérémonie, non ?

Il décocha un sourire à ses sœurs comme s'il n'avait pas remarqué l'arme dans la main du voyou.

— Je sauve ta sœur, répondit l'autre, retenant fermement Sadie.

— Tu la sauves de quoi ? demanda James sans cesser de sourire.

— Des types. Des types cagoulés en bas. Ils sont armés. Ils tueront tout le monde, sauf si…

Il hésita, ne sachant quoi dire d'autre.

— Sauf si quoi ? l'encouragea James en serrant doucement l'épaule de Beth avant de la lâcher.

Ce geste procura à la jeune femme un immense réconfort.

— Je ne sais pas. Tout ce que je sais, c'est que je sauve Sadie. Je l'emmène loin de tout ça. C'est dangereux, ici. Elle ne doit pas épouser Simon. William m'a dit que c'est un traître. Je n'ai rien trouvé à son sujet dans nos banques de données. C'est une fausse identité. Il n'existe pas. Mais le directeur n'a rien voulu savoir.

Décidément, il était fou à lier. Il fallait à tout prix l'empêcher de sortir de cette pièce avec Sadie. Heureusement que James était là.

On la bouscula, Mme Walker se frayant un passage en la poussant du coude. *Génial, tout le monde est réuni…*

— James, on devrait écouter Jeffrey. N'empirons pas la situation.

— Ben voyons. Au fait, Jeffrey, tu auras beau essayer, tu ne pourras pas tous nous tuer.

Jeffrey réfléchit en regardant son arme comme s'il comptait les balles de son chargeur et James en profita pour se jeter sur lui. Il frappa la main du voyou qui tira un coup au plafond. Des morceaux de plâtre leur tombèrent sur la tête tandis que Beth se précipitait vers Sadie et les autres pour les pousser dans la salle de bains.

Quand elle se retourna, Jeffrey avait grimpé sur le dos de James, une lèvre en sang et un œil au beurre noir. Le soldat le fit basculer par-dessus son épaule et attrapa un collant abandonné sur le lit pour lui lier les poignets. Jeffrey essaya de parler mais seules quelques syllabes incohérentes sortirent de sa bouche.

— Je crois que je t'ai cassé les bras, alors ne bouge pas trop, lui conseilla calmement James.

Beth le regarda finir son œuvre. Cet homme était magnifique. Elle avait envie de lui, pas sexuellement – en tout cas, pas maintenant – mais elle avait envie d'être à ses côtés pour l'éternité. Elle rangea cette pensée dans un coin de sa tête lorsque Mme Walker lui tendit le pistolet que Jeffrey avait laissé tomber. Beth prit ce geste pour une marque de confiance.

— Vous ne comprenez pas, se défendait l'idiot. Simon n'existe pas. Elle ne doit pas l'épouser.

— Bien sûr que si. Comment mon père a-t-il fait pour travailler tout ce temps avec toi sans remarquer à quel point tu es idiot ? Vraiment, ça me dépasse.

James avait raison. Jeffrey aurait pu deviner de lui-même que Simon n'était dans aucune base de données parce qu'il était agent secret, tout simplement.

— Je suis son homme de main, protesta faiblement Jeffrey.

— James, heureusement que tu es là, lança Sadie depuis la salle de bains. Tu es le meilleur.

Son frère lui rendit son sourire avant de se retourner vers l'imbécile. Il ne cherchait plus à se libérer et contemplait le trou au plafond.

— Elles devaient être à blanc. William a dit que c'était des balles à blanc.

Il ferma les yeux et Beth le soupçonna de chasser une crise de larmes.

— Je n'arrive pas à croire que j'ai été si bête, bafouilla-t-il. William m'a convaincu que Simon était un terroriste, que je serais un héros si je parvenais à sauver Sadie et sa famille de ce mauvais mariage.

— Ce devait être des balles à blanc ? Tu en es sûr ? demanda Beth, concentrée sur ce problème.

— Oui !

— Les balles à blanc peuvent tuer, idiot, lui reprocha le soldat en lui donnant un coup de pied dans la jambe.

Jeffrey ferma les yeux et secoua la tête.

Beth ne put détourner le regard du trou au plafond.

— Ce sont de vraies balles, aucun doute, murmura-t-elle avant de regarder James. Tu crois que le but était seulement de kidnapper Sadie ?

— Je soupçonne William d'avoir fait croire à Jeffrey qu'il ferait diversion pour le laisser sauver Sadie, alors qu'en réalité la diversion était ici pour couvrir un autre coup que prépare William.

— Tu penses que c'est possible, Jeffrey ? demanda Beth.

Ce dernier regarda le plafond et haussa les épaules.

Beth quitta la pièce afin de laisser la famille se retrouver. Elle observa depuis le couloir, étrangère à cette effusion d'étreintes et de paroles rassurantes. Étrangère depuis le début.

Tout en ligotant Jeffrey comme un rôti avant de le laisser dans le couloir, James ordonna à sa mère et à Gracie de rester avec les filles. Beth reculait d'un pas pour le laisser passer quand une main la saisit par le cou. Son sang ne fit qu'un tour et elle réagit par instinct. Un pas en arrière et elle donna un coup de tête dans le nez de son assaillant, mais il s'y attendait : il tourna la tête au dernier moment et Beth ne cogna que son épaule.

Elle avait dû émettre un bruit car James se redressa aussitôt, se tourna vers elle et pointa l'arme vers la menace. Hésitant, il l'abaissa à peine pour s'assurer qu'il ne rêvait pas.

— Relâche-la tout de suite ! s'écria-t-il avant de pointer le pistolet droit sur le visage du bandit. Sinon, je te colle une balle entre les deux yeux.

— Je ne crois pas, non, rétorqua William en pressant le canon sur la tempe de Beth.

Autour d'elle, tout sembla se figer dans un silence de mort. Sa vision se troubla et elle prit seulement conscience qu'il continuait de l'étrangler.

— Si jamais elle s'évanouit, tu es mort avant qu'elle touche le sol, le menaça James d'un ton calme en s'approchant d'eux.

William desserra légèrement son emprise sur sa gorge mais la fit reculer, et elle perdit l'équilibre, appuyée contre le torse de son ravisseur.

— Libère Jeffrey.

— Non, relâche-la d'abord, rétorqua James en continuant d'avancer.

William attira Beth vers l'escalier. Génial, il suffisait qu'il la pousse pour qu'elle se fracasse le crâne sur le carrelage de marbre. Elle chercha un moyen de s'échapper mais son cerveau fonctionnait au ralenti.

— Je ne la relâcherai pas.

— Dans ce cas, Jeffrey reste où il est, conclut James, qui baissa son arme une seconde, puis reprit William en joue. Qu'est-ce qui te prend ? À quoi tu joues ?

— C'est la liberté de l'information, mon vieux. Mes contacts publieront tout ce qui se cache dans les bases de données de la CIA. Les Américains ont le droit de savoir les petits secrets et les mensonges du gouvernement, ce qu'il fait de l'argent des impôts. Je serai le prochain Julian Assange.

— Le type qui a inventé WikiLeaks ? Il vit reclus dans une pièce minuscule d'une ambassade étrangère, lui rappela James. Tu es sûr que c'est ce que tu veux ?

Du coin de l'œil, Beth aperçut deux hommes, armes en main, qui montaient discrètement l'escalier comme Beth et James l'avaient fait un peu plus tôt. Simon était l'un d'eux, elle en était sûre. Quand elle put mieux voir l'autre, elle reconnut Matt, le type du restaurant. Ce dernier porta un doigt à ses lèvres et elle hocha la tête. C'est alors qu'elle se souvint des ciseaux.

Tout doucement, elle leva le genou pour atteindre sa botte en regardant James droit dans les yeux. Il comprit le message : c'était l'heure de faire diversion.

— Pourquoi tiens-tu autant à ce que je libère Jeffrey ? En quoi peux-tu avoir besoin de lui ?

— Il a les codes, répondit Willian en riant. Si mes hommes en bas échouent avec ton père, c'est mon plan B. J'étais sérieux en te proposant de profiter de ma maison en bord de plage, James. Les Russes ont eu la gentillesse de prolonger mon immunité diplomatique. Je serai à Moscou avant le coucher du soleil.

— Jeffrey n'a aucun code. Il a sûrement exagéré son importance au sein de la CIA. Et puis, si tu travailles vraiment pour le gouvernement russe, tu es un traître de la pire espèce. Le coup de WikiLeaks ne fonctionne pas si tu joues à ça avec un gouvernement étranger. Tu es sérieux ? Tu as vraiment l'intention d'offrir ces données confidentielles aux Russes sur un plateau d'argent ?

Le bras de William se détendait autour du cou de Beth, pourvu qu'il l'oublie au fur et à mesure de leur conversation. Mais au moment où cette pensée lui traversait l'esprit, il resserra sa prise. Elle fut saisie de panique : dans cette position, il pouvait facilement la tuer.

— Ce n'est pas mon intention. Je pensais plutôt…

La voix de William était de plus en plus hésitante, forte et désespérée.

— Je me fiche de tes intentions, le coupa James. Ce qu'il faut que tu comprennes, c'est que tout le monde ici est prêt à mourir pour t'empêcher d'accéder à ces données. La vraie question est là : es-tu prêt à tuer tout le monde ici ?

Les yeux plissés, James l'examina un moment pour savoir où atteindre William.

Jeffrey grommela et Mme Walker le fit taire par un coup de pied dans les côtes.

Beth voulut se laisser glisser par terre et tirer sur chacun la balle qu'il méritait, mais le pirate informatique était fort comme un bœuf. Qui l'eût cru ?

— En tout cas, reprit celui-ci, tu as l'air attaché à cette demoiselle. Je te laisse cinq minutes pour demander les codes à ton père. Sinon, je la tue.

James déglutit.

— Tu penses vraiment qu'une femme est plus importante pour moi que la sécurité de la nation ?

Il avait raison, rien de tel que de diminuer l'importance de l'otage, mais bon sang ! Elle devait bien admettre que cela faisait mal. Elle glissa les doigts dans sa botte et en retira la paire de ciseaux. Une seule chance, elle ne pouvait pas se permettre de la manquer. En silence, elle mima un compte à rebours à James. Imperceptiblement, pour elle seulement, il acquiesça. À « un », elle repoussa l'arme pointée sur sa tempe et se retourna pour enfoncer la paire de ciseaux dans les côtes de William avant de bondir au loin. Trois coups furent tirés et William s'effondra au sol.

Sous le choc, Beth se laissa glisser par terre et chercha à reprendre son souffle. D'un coup de pied, James retira l'arme coincée dans la main du ravisseur et se baissa pour aider la jeune femme à se relever. Elle s'agrippa à son cou.

Au milieu du couloir, Matt restait immobile et de la fumée sortait du canon de son pistolet. Simon grimpait les marches quatre à quatre. Il passa devant Beth au pas de course et se précipita vers Sadie.

— Quel intérêt d'avoir des renforts s'ils arrivent après la bataille ? leur reprocha James.

En passant près de lui, Simon lui donna une tape dans le dos.

— Désolé, beau-frère. Quatre hommes étaient postés dehors pour empêcher la sécurité d'entrer dans la maison. Matt et moi, on a dû trouver un moyen pour y parvenir, ça nous a pris un moment. En tout cas, je vois que tu avais la situation en main. Il nous reste à libérer le bureau de ton père. J'ai réussi à faire parler un des types dehors. Ils sont neuf en tout. Cinq dedans, quatre dehors. Des Russes, aucun doute, mais ils ne travaillent pas pour le gouvernement. Ils ont baratiné William avec une histoire de liberté d'information pour le conforter dans son idée de héros, mais je pense qu'ils ont simplement l'intention de vendre les informations confidentielles au plus offrant. Ils se sont servis de lui pour pénétrer dans la propriété.

Beth s'écarta de James et le regarda dans les yeux, récapitulant les comptes :

— Il y en a un dans la cuisine.

— Un autre dans la salle de billard, ajouta James. Et William est ici. Il en reste donc deux.

— Tout le monde retourne dans la chambre. En tout cas, tous ceux qui ne sont pas armés, ordonna Simon.

Les femmes se pressèrent dans la chambre de Sadie, et Beth ramassa le Glock qu'elle avait laissé par terre.

— Tu sais t'en servir ? s'inquiéta Matt.

— Elle travaille pour les forces spéciales, mon vieux, l'informa James. Et n'y pense même pas. Je te connais trop bien. Bas les pattes.

Beth secoua la tête avec un sourire en coin. *Ah, les hommes !*

Simon et Matt furent les premiers à redescendre l'escalier. Dès qu'ils eurent quitté l'étage, James se tourna vers Beth et la poussa contre le mur pour l'embrasser. Ce n'était pas un baiser passionné mais plutôt une revendication, ce droit lui revenait. Quand tout sera terminé, pourvu qu'elle reste assez longtemps pour qu'il puisse lui expliquer.

Lui expliquer quoi ? Il n'en était pas sûr.

Ils descendirent ensemble puis rasèrent les murs comme s'ils étaient de retour en Afghanistan : l'arme pointée droit devant eux, au niveau des yeux, pivotant d'un côté et de l'autre pour couvrir la zone et les angles morts. Il aurait dû jubiler, se sentir à l'aise dans une telle synchronisation avec sa partenaire. Seulement, c'était tout à fait différent lorsqu'il s'agissait de chercher son père.

Le bureau était fermé à clé. De chaque côté de la porte, dos contre le mur, Matt et Simon se tenaient prêts. Des cris résonnèrent dans la pièce et l'écho retentit jusque dans le couloir. Immobiles, ils tendirent l'oreille. James était rassuré de savoir que Beth le couvrait, mais s'il arrivait quoi que ce soit à la jeune femme, il ne se le pardonnerait jamais. *Jamais.*

Ils se mirent en position : Beth s'accroupit face à la porte qu'elle tint en joue et James se prépara à l'ouvrir d'un bon coup de pied. Il attendait le signal. Quand elle le lui donna, il frappa. Six têtes se retournèrent, deux des hommes présents étaient armés. L'un brandit son pistolet vers la porte mais

James fut plus rapide et le toucha à la tête. Il ne voulait pas prendre le risque qu'il porte un gilet pare-balles. Les secondes qui suivirent s'écoulèrent au ralenti.

Beth se jeta sur James pour le pousser sur le côté pendant que Simon ou Matt tiraient sur le deuxième homme. Ils le touchèrent, mais ce dernier avait eu le temps de tirer une balle qui aurait transpercé la poitrine de James si Beth ne s'était pas jetée sur lui. Au lieu de cela, il fut blessé à l'épaule. La douleur se propagea dans son corps entier et tout sombra dans un noir total.

— Des secours, vite ! hurla Beth, en espérant qu'ils aient ne serait-ce qu'une trousse de premiers soins sous la main.

Pendant une seconde, personne ne remua le petit doigt. Tout à coup, trois collègues du directeur Walker se mirent au travail. Deux d'entre eux s'occupèrent des deux malfrats et l'autre s'approcha de Beth pour lui prêter main-forte. Celle-ci retira sa veste et la pressa en boule contre la plaie de James avant de remarquer qu'elle ne saignait pas abondamment. La balle avait sans doute touché l'os de son épaule. Elle profita qu'il soit inconscient pour le bouger et permettre à son bras de reposer sur sa cuisse. Ainsi, le transport serait moins douloureux dans l'hélico. Dans *l'ambulance.* Décidément, elle perdait pied. Ils n'étaient pas en Afghanistan mais à Washington. Tout se bousculait dans sa tête.

Des gouttes tombèrent sur le dos de sa main tandis qu'elle se penchait sur James. Elle leva la tête pour voir s'il n'y avait pas une fuite au plafond et prit conscience que ces gouttes étaient en réalité ses propres larmes. Elle pleurait. Ils étaient à Washington, et on avait tiré sur James. C'était normal, elle avait le droit de pleurer. Elle n'était pas en guerre. Les sanglots se coincèrent dans sa gorge et elle se passa la main – couverte de sang – sur le visage, cherchant à enrayer le flot d'émotions qui s'échappait de ses yeux, de son nez, de sa bouche.

— Arrête… de… chouiner, souffla James, à peine capable de garder les yeux ouverts.

Elle sursauta et laissa échapper un rire nerveux.

— Tout va bien, James. Ne t'inquiète pas. Puisque ça fait trois fois qu'on te tire dessus, je ne te traiterai jamais de lopette, promis.

Il parvint à pouffer de rire.

— Tu peux parler, poids plume… Je te bats de deux balles.

Sa voix était si faible que Beth fut saisie d'une terreur sans nom. Une peur qu'elle n'avait encore jamais ressentie. Pas même quand elle avait été blessée, ni même à la mort de sa mère alors qu'elle se retrouvait toute seule avec sa petite sœur.

L'équipe de sécurité du directeur se précipita dans la pièce, la mine à la fois inquiète et gênée. En quelques minutes, Matt guidait deux ambulanciers jusqu'à James pendant que Simon libérait les femmes cloîtrées dans la chambre à l'étage. La maison était plongée dans le chaos le plus total. Beth recula d'un pas et observa les hommes affairés autour de James. Tandis qu'ils le posaient sur la civière, Harriet se précipita vers lui.

— James ! Mon chéri, James, ça va ? bafouilla-t-elle en bousculant Beth au passage pour prendre la main du blessé. Tout va bien se passer, je reste avec toi.

Et sans laisser le temps à Beth de réagir, Harriet resta tout contre le brancard que les ambulanciers emportaient hors de la maison. Au bout du couloir, Matt les regardait sortir.

Pétrifiée, Beth se tourna vers lui et il haussa les épaules.

— Vous ne comprenez rien du tout, lança Beth à l'assemblée.

Tout le monde parlait et hurlait en même temps. La police était enfin arrivée et avait emporté les corps des hommes cagoulés. De toute évidence, William avait piloté toute l'opération en se servant principalement de la naïveté de Jeffrey. Cela donnerait une bonne leçon à cet idiot qui clamait haut et fort détenir les joyaux de la couronne au sein de l'agence de renseignements alors qu'il n'était qu'un simple administrateur. En tout cas, elle s'en fichait, à présent. James était avec Harriet, dont il était probablement toujours amoureux. Ce qui signifiait qu'elle se retrouvait seule. Comme au bon vieux temps. Pourquoi ne s'en réjouissait-elle pas ?

Elle lui avait sauvé la vie, ils étaient quittes. Elle pouvait à présent s'en aller sans regret. Elle avait même envie de partir en courant. Mais seulement une fois qu'elle aurait résolu les problèmes de cette fichue famille.

L'état de santé de James leur importait peu face aux grandes questions : le mariage de Sadie devait-il avoir lieu ? Que penseraient les gens ? Et pire que tout, comment expliquer la situation aux médias ?

— Fermez-la ! hurla-t-elle.

Un silence tomba comme une chape de plomb et tout le monde se tourna vers elle.

— Tu ne devrais pas être avec James ? demanda Sadie.

— La vraie question, c'est pourquoi *vous* n'êtes pas tous avec James ? rétorqua Beth en balayant la pièce du regard. Je ne vous connais pas vraiment, mais laissez-moi me présenter. Je m'appelle Beth Garcia.

Le directeur fronça les sourcils et ouvrit le tiroir de son bureau, sans doute pour vérifier le nom qu'il avait inscrit sur le chèque.

— Je croyais que vous vous appeliez… (Il regarda son chéquier.) Beth Cojones ?

— Laisse-moi voir, fit Sadie en lui prenant le chéquier des mains, puis elle eut un rire jaune. Papa, tu croyais sérieusement qu'elle s'appelait Beth Testicules ? C'est *cojones* ! prononça-t-elle avec l'accent espagnol qui convenait. Ça veut dire boules, couilles. Et franchement, tu continues avec tes histoires de chèques ? Tu ne sais pas encore que j'ai financé cinq copains de fac en te faisant croire que je sortais avec eux ?

Le directeur Walker regarda son chéquier, puis Beth, et enfin Sadie, le temps d'enregistrer l'information. Puis il se laissa tomber dans son fauteuil.

— Sans vouloir vous manquer de respect, monsieur, se sentit-elle obligée d'ajouter, bien qu'elle ne s'attende pas à être excusée.

— Et donc, mademoiselle Garcia ? Qui êtes-vous et que faites-vous ici ?

— Je travaille pour les forces spéciales basées à Fort Bragg, monsieur. J'ai rencontré James en Afghanistan, où il m'a sauvé la vie, expliqua Beth, impatiente de faire comprendre à tous ces ignorants que leur fils était un héros.

— Vous mentez, jeune fille. Mon fils n'est jamais parti en déploiement.

— C'est là que vous vous trompez, monsieur. Il vous a caché son poste de combat parce qu'il ne voulait pas que vous usiez de votre influence pour le rapatrier derrière un bureau. Il travaille comme appui aérien rapproché. C'est un membre du commandement des opérations spéciales aériennes. On lui a décerné deux Purple Heart[1].

À cette dernière information, Mme Walker porta la main à son collier de perle et poussa un petit cri.

— En fait, il n'a qu'une seule médaille, rectifia Sadie. Il a refusé la deuxième pour ne pas passer pour un soldat imprudent.

En apprenant cela, Beth ne put retenir un petit rire.

— Tu étais au courant ? s'insurgea le père.

— Je suis la seule à qui il en ait parlé. Il ne voulait pas vous inquiéter, et surtout, il ne voulait pas que tu t'en mêles.

Sadie s'assit dans l'un des grands fauteuils en cuir vert.

1. Médaille accordée aux soldats tués ou blessés au service de l'armée américaine. (*N.D.T.*)

— Je tiens à vous dire ce qu'il a fait, reprit Beth. James faisait partie de mon équipe pendant quelques mois. Il nous accompagnait en patrouille et assurait le lien avec nos renforts aériens. Un soir, on est tombés dans une embuscade et le véhicule qui nous suivait s'est enflammé. J'ai quitté ma voiture, qui s'était immobilisée sous les jets de grenades, et je suis allée couvrir mes collègues derrière moi.

Beth récitait son compte-rendu mot pour mot, si bien détaillé qu'on aurait pu entendre une goupille de grenade rebondir au sol.

— J'ai été blessée à la jambe, la balle a touché une artère. Malgré les ordres qui l'obligeaient à rester dans le véhicule, James a contacté les chasseurs bombardiers pour qu'ils nous envoient une aide aérienne rapprochée. Il leur a donné les coordonnées exactes des talibans et a ensuite quitté la sécurité de notre véhicule blindé pour venir me chercher. Il m'a portée sous les tirs de l'ennemi jusqu'à un point d'extraction où… (sa voix trembla lorsqu'elle repensa à Marks) *presque* tout notre groupe a pu être évacué par des équipes de sauvetage.

Elle prit un moment pour s'éclaircir la voix, encore traumatisée par la perte d'un soldat ce soir-là.

— Alors, me voilà. Je suis venue jouer les fausses fiancées parce que je tenais à lui rendre service. Ça tombait bien, il avait besoin de moi pour faire en sorte que le mariage de Sadie se passe le mieux possible. J'observe que son vœu ne s'est pas réalisé, finalement.

— Ça n'a rien à voir avec James, intervint Sadie qui se tourna ensuite vers son père. Le seul prétendant que tu n'as pas fait fuir alors que tu aurais dû, c'est Jeffrey. Je n'arrive pas à croire que tu aies travaillé avec lui tout ce temps sans rien remarquer.

Le visage du directeur pâlit.

— Oh, mon Dieu. Il est venu me voir il y a un mois. Il voulait savoir comment faire pour regagner ton amour. À dire vrai, j'avoue préférer l'idée d'accueillir un homme de notre boîte dans la famille plutôt qu'un autre militaire. C'est pourquoi je lui ai conseillé de faire les choses en grand pour t'impressionner. Je ne pensais pas que cela se traduirait par une prise d'otage à mains armées.

Il se mit à gémir en prenant sa tête entre les mains.

— Très bien, fit Sadie en époussetant sa robe de mariage avant de se tourner vers Beth. Je vais à l'hôpital. Tu m'accompagnes ? Ou est-ce que tu en as assez de cette famille de détraqués ?

Beth hésita. Son instinct lui dictait de partir loin, très loin d'ici, mais la moindre des choses vis-à-vis de James était de lui rendre visite à l'hôpital. Et puis, elle devait bien cela à son cœur : une fin définitive à cette histoire.

— Oui, j'arrive, répondit-elle avant de se tourner vers la famille. Ce fut… un plaisir de faire votre connaissance.

Quel mensonge ridicule. Enfin, presque.

Sadie lui proposa de venir la chercher à l'annexe puisque la tenue de Beth était tachée du sang de James. Une fois seule dans la petite dépendance, elle se contempla longuement dans le miroir. James avait-il été couvert de sang le soir où il avait essayé de stopper l'hémorragie ? Oui, sans doute.

Voilà, elle avait payé sa dette. Dans le sang, visiblement. Le parallèle parfait entre ces deux événements lui donna l'impression que cette fin était écrite. L'adrénaline quitta son corps peu à peu et elle se sentit apaisée. Pourtant, elle savait qu'au fond, tout au fond, elle repoussait un étrange sentiment qu'elle ne connaissait pas. Tout irait bien, tant que ce sentiment resterait enfoui.

Elle quitta son tailleur et se sentit coupable de ne pas pouvoir le ramener au magasin. Elle le roula en boule et le jeta dans la poubelle de la cuisine. Puis elle enfila les vêtements qu'elle portait à son arrivée, *ses* vêtements, et posa cette fichue alliance sur le comptoir près de l'évier. Ensuite, elle se lava les mains, attrapa son sac, et quitta la propriété des Walker avec Sadie. Ce détour par l'hôpital serait l'occasion d'un dernier adieu.

Chapitre 17

L'hôpital était situé en banlieue, proches et patients se bousculaient dans la salle d'attente, mais Sadie parvint à se frayer un passage au nez et à la barbe des infirmières pour gagner l'étage où James était admis. Quand les portes de l'ascenseur s'ouvrirent, la première personne que Beth aperçut fut Harriet.

— Harriet ? Qu'est-ce que tu fais là ? demanda Sadie en fronçant les sourcils.

Elle n'avait pas dû la voir partir avec James et les ambulanciers.

— Je voulais m'assurer qu'il allait bien, tu comprends ? répondit Harriet en jetant des regards inquiets vers la pièce où circulait un convoi d'infirmières. Elles lui mettent un bandage autour de la blessure. Il va s'en sortir.

Sadie passa un bras autour de ses épaules et lui murmura :

— Bien sûr que je comprends, Harriet.

Beth comprenait, elle aussi. Elle comprenait tout, à présent. Harriet avait peur de perdre James comme elle avait perdu son mari. Beth comprenait qu'elle n'appartenait pas à cet univers. Rester auprès de lui serait un frein à sa carrière, à l'avenir qu'elle se réservait. Sa vie serait plus simple loin de tout ça. Non, elle n'allait pas courir de risque. Elle devait s'éloigner de James, de Sadie, et de leur famille, elle devait s'éloigner de cet hôpital.

Beth resta dans la cabine de l'ascenseur, incapable d'en sortir. Sadie se retourna et lui lança un regard perplexe.

— Tu ne viens pas le voir ?

— Non, je viens de me rappeler que… Bref, dis à James qu'il faut marcher. C'est qu'une égratignure, ça va passer. Dis-le-lui de ma part.

En se dépêchant, elle pourrait avoir le prochain vol pour la Caroline du Nord.

Les sourcils froncés, Sadie hocha la tête et se retourna pour aller voir son frère. Beth laissa les portes se refermer et appuya sur le bouton du rez-de-chaussée, le bouton de la liberté.

Dès que l'ascenseur commença à bouger, elle se mit à trembler. Quitter James lui provoquait une réaction physique. Elle était décidée à rentrer chez elle. À laisser toute cette folie derrière elle. À laisser James derrière elle. Sa conscience lui criait que c'était le mauvais choix, mais elle faisait la sourde oreille. C'était pour le mieux.

L'aéroport était presque désert et une brume sèche voilait le Washington Monument qu'on apercevait mal au loin. Beth acheta son aller simple pour Raleigh, passa le contrôle de sécurité, puis les portes d'embarquement.

Tammer vint la chercher à l'aéroport et Beth esquiva toutes les questions qu'elle lui posait. Elle ne pensait qu'à rentrer, impatiente de retrouver sa maison et son chien, de transformer ce week-end en vieux souvenir, comme s'il s'agissait d'un film qu'elle aurait vu un jour.

Le problème étant qu'elle était presque certaine d'être tombée amoureuse de James. En le voyant s'écrouler, l'idée de ne pas avoir eu le temps de lui dire ce qu'elle ressentait vraiment l'avait pétrifiée. Et puis, la blessure n'étant pas mortelle, les mots étaient restés coincés dans sa gorge sèche.

Beth ferma les yeux très fort. Si seulement ils pouvaient rester secs, aussi secs que sa gorge.

— Où est-elle ? demanda James à l'instant où sa sœur entra dans la chambre, et il regarda derrière elle comme s'il s'attendait à la voir apparaître.

— Qui ? Harriet ou Beth ? s'enquit Sadie en plissant les yeux.

— Comment ça ? Beth, évidemment.

Il se laissa retomber sur les oreillers en s'efforçant de réfléchir malgré les drogues supposées apaiser la douleur depuis qu'on avait extrait la balle de son épaule.

— Je suis venue avec elle, mais elle n'a pas voulu sortir de l'ascenseur. Elle m'a dit de te dire : « Il faut marcher, ce n'est qu'une égratignure, ça va passer. »

James se frotta un œil.

— Qu'est-ce qui s'est passé ? Je ne me souviens de rien après le coup de feu, murmura-t-il, puis il se mit à rire doucement. Elle t'a dit ça ? Mot pour mot ? C'est ce que je lui ai dit, un jour. Où est-elle ? Tu ne peux pas la faire revenir ?

En regardant encore la porte, il espéra la voir entrer.

Sadie approcha une chaise de son chevet et s'installa en prenant sa main valide.

— Écoute, minus. Beth est partie. Elle n'est plus là. Harriet s'est précipitée pour t'accompagner dans l'ambulance. Elle a dû paniquer en te voyant perdre tout ce sang. En fait, je pense que c'est dû à Danny, la scène lui a rappelé de mauvais souvenirs. Beth n'a pas dû le voir comme ça. Mais ne t'inquiète pas, après tout, votre relation était un coup monté, pas vrai ? Après que tu es parti pour l'hôpital, elle nous a dit que c'était de la comédie.

— Elle a dit ça ?

La voix de James n'était plus qu'un murmure.

— Oui, elle a dit que votre jeu de rôle était terminé, et qu'on était tous des idiots. Enfin, je paraphrase, mais c'est à peu près ça. Il faut dire qu'elle n'avait pas tort.

C'était terminé ? *Quoi ?* Il sentit comme un court-circuit dans son cerveau et n'eut pas la force de le combattre. La dernière chose qu'il aperçut fut la mine inquiète de sa sœur, et tout le reste sombra dans l'obscurité.

James dut attendre une semaine avant de pouvoir enfin quitter l'hôpital. Son corps avait mal réagi à l'injection de Vicodin : il s'était retrouvé incapable de parler et l'un de ses poumons avait cessé de fonctionner jusqu'à ce que le médicament soit enfin évacué de son système.

Une fois remis, il prit conscience qu'il ne pouvait pas reprendre contact avec Beth. Il n'avait pas son numéro de téléphone et ne connaissait ni son unité, ni le nom de son commandant. Tout ce qu'il savait, c'était son adresse, or elle habitait à six heures de route et il ne pouvait pas frapper à sa porte sans prévenir. Son père aurait pu lui donner quelques renseignements, mais maintenant qu'il savait tout ce qu'elle avait balancé à sa famille, ce n'était pas une bonne idée. Et puis, se renseigner clandestinement à son sujet risquait de ne pas lui plaire. Beth ne le lui pardonnerait jamais.

Être privé d'elle, c'était comme avoir une jambe en moins. Heureusement que son épaule lui faisait un mal de chien : ainsi, il ne pensait qu'à cette douleur jusqu'à en avoir la nausée. De quoi garder les pieds sur terre.

En revanche, dès son retour à l'annexe, la vue de l'alliance posée sur le comptoir lui fit l'effet d'un coup de poing dans le ventre. Ce qui était idiot, puisque leurs fiançailles étaient en carton, ce n'était rien d'autre que du vent.

Faux, faux, et encore faux. Une chose était bien réelle entre eux, c'était aussi sûr qu'un véhicule blindé.

Maintenant, il lui fallait un plan. Un plan infaillible cette fois-ci, et qui n'impliquerait ni sa famille, ni l'escalade, ni les mariages, ni rien de tout ça.

Chapitre 18

Afghanistan, quatre mois plus tard

De retour d'une patrouille heureusement tranquille, Beth s'attela à ranger quelques papiers avant de rejoindre le mess à l'heure du dîner. Aujourd'hui, c'était menu italien et Beth ne disait pas non à un plein de glucides avant sa séance de sport du soir. Depuis le début de ce déploiement, elle ne faisait que cela : dormir, manger, patrouiller, faire du sport, dormir. Elle trouvait cette routine rassurante, bien que cela puisse en faire paniquer plus d'un.

Cette situation l'aidait à oublier ce fameux week-end. À oublier James. L'oublier pour de bon. Elle avait eu le cœur brisé, mais le temps ferait son œuvre, tout comme la distance, et sa blessure de guerre finirait par cicatriser. Elle ne voulait pas trop y penser, ni réfléchir à toutes ces nuits où elle portait le tee-shirt de James, emporté au passage en quittant l'annexe pour la dernière fois.

La première semaine, il portait toujours son odeur et elle le gardait en boule sous son oreiller. Elle s'interdisait de penser à lui la journée, mais le soir, au moment où le sommeil menaçait, ses pensées dérivaient toujours vers lui. Qu'elle le veuille ou non, elle avait fini par le passer en machine. Depuis, elle le portait en pyjama. C'était son Purple Heart, le trophée d'une bataille remportée, d'une blessure grave, de la catastrophe esquivée.

Comme d'habitude, le mess était bondé. Le menu italien avait toujours beaucoup de succès, comme le menu viande et fruits de mer. Elle fit la queue avec les autres, se servit une assiette et rejoignit les gars d'une table qui lui faisaient signe.

— Bonjour, sergent, fit l'un d'eux, la bouche pleine, trop pleine.

— Bonjour, Obélix, répondit-elle avec une grimace.

Sa bouchée débordait sur son menton.

— Avale avant de parler, mon vieux, lui reprocha l'un de ses copains en lui donnant une tape dans le dos, ce qui le fit presque tout recracher.

D'instinct, elle souleva son assiette et s'écarta du type, de crainte que la nourriture rejaillisse. Par miracle, il parvint à tout avaler et Beth put reposer son assiette et commencer à manger.

Les gars étaient étrangement silencieux, mais cela ne la dérangeait pas. Les repas n'étaient pas tous animés par des blagues et des éclats de rire. Parfois, les soldats avaient besoin de calme et de tranquillité. En revanche, elle surprit ses deux voisins d'en face qui s'écartaient discrètement l'un de l'autre sur le banc.

Et puis, dans l'espace qu'ils venaient de libérer, le soldat de l'armée de l'air assis à la table d'en face se retourna. Elle s'étrangla avec ses tortellinis.

Les larmes aux yeux, elle leva une main pour demander au type à côté d'elle d'arrêter de la taper dans le dos. Finalement, elle parvint à avaler ce qui lui restait dans la bouche.

— James ? murmura-t-elle.

Il était en uniforme mais portait une écharpe noire autour de son bras.

— Garcia, répondit-il avec ce sourire auquel elle n'avait jamais pu résister, puis il se leva. Qu'on n'aille pas dire que je ne ferais pas le tour du monde pour te retrouver.

— Qu'est-ce que tu fais là ?

Son cœur battait à cent à l'heure. Était-il déployé ? Impossible, il était blessé. Impossible également qu'il soit venu pour elle, c'était interdit. Il y avait forcément autre chose. Mais quoi ? Les larmes commencèrent à lui piquer les yeux et il lui fallut toute sa volonté pour ne pas les laisser couler sur ses joues. *Ne pleure pas, ne pleure pas.*

— Je n'avais pas d'autre moyen de te coincer. Une vraie savonnette. Rien que pour t'envoyer un e-mail, c'était compliqué : personne n'a ton adresse réservée aux périodes de déploiement. Sauf Tammer, qui est restée muette comme une tombe. J'ai mis tout ce temps. Quatre longs mois. Mais j'y suis finalement arrivé.

Tammer ne lui avait jamais dit que James avait pris contact avec elle, pourtant elle lui écrivait chaque jour. Beth cligna des yeux.

— Tu m'as abandonné alors que j'étais à l'hôpital, lui rappela-t-il comme s'il énumérait tous les torts de la jeune femme.

Autour d'eux, les curieux écoutaient d'une oreille attentive et certains se mirent à commenter :

— Sans déconner ?

— Vous êtes dure, sergent, fit remarquer Obélix. L'abandonner alors qu'il est à l'hôpital ? Brrr.

Il frissonna comme si Beth était un courant d'air froid. Elle leva les yeux au ciel.

— Tu allais t'en sortir, c'est tout ce que j'avais besoin de savoir. Et puis…, ajouta-t-elle en regardant James droit dans les yeux. Tu avais de la compagnie.

Baxter, assis à côté d'elle, poussa un petit cri et s'exclama avec de grands gestes comiques :

— C'est vrai, Walker ? Une autre femme ?

— Il n'y avait personne d'autre, corrigea celui-ci. C'était seulement une amie. Et je te rappelle, reprit-il d'une voix plus forte, que je venais de prendre une balle.

Beth haussa les épaules.

— Ce n'est pas comme si c'était la première fois.

L'audience éclata de rire. Cela devenait embarrassant, tout le mess assistait à la scène. C'était sans doute plus intéressant que de manger devant la télévision chez soi.

— En tout cas, je te propose un marché, reprit James.

Il y eut un silence de plomb. Même les poêles et les casseroles se turent en cuisine. Le soldat sortit de sa poche le petit écrin bleu ciel de chez Tiffany's qu'il lui avait fourré sous le nez quelques mois plus tôt.

Beth fut prise de vertiges et ses joues s'empourprèrent. Elle se mit à trembler. James ne pouvait pas être assez fou pour la demander en mariage. C'était impossible. Ils ne s'étaient vraiment connus que trois jours seulement. Elle ne pourrait pas accepter. En même temps, elle ne pouvait pas non plus refuser sous les regards de tous ces gens.

Mais James ne mit pas un genou à terre. Il ouvrit simplement l'écrin et en sortit l'alliance, retenue par une longue chaîne.

— Je ne suis pas assez fou pour croire que tu accepterais de m'épouser. Mais je te demande de porter cette bague autour de ton cou. Si l'envie te prend de la mettre à ton doigt, tu es libre de le faire, et je te promets un mariage en toute intimité avec seulement Tammer, Jubilee et mes sœurs. C'est tout. Marché conclu, soldat ?

Son corps entier se réchauffa et ses épaules retombèrent. C'était comme si toute la tension accumulée la quittait pour s'évaporer dans les airs. Elle se sentait légère, et bon sang, folle amoureuse de lui. La main tremblante, elle accepta la chaîne.

— Marché conclu.

Autour d'eux, un vacarme de cris et de pieds martelant le sol, de cuillères heurtant les verres en plastique, de poings frappant les tables, de plateaux vibrant sous la force des applaudissements. Si elle voulait garder un profil bas et ne pas se faire remarquer, c'était raté.

Elle désigna la porte. James, le sourire aux lèvres, acquiesça. Ils retrouvèrent ensemble l'air chaud de ce début de soirée, et respectèrent le mètre de distance imposé. Les câlins, les baisers et autres marques d'affection étaient strictement interdits en mission. Beth fut à la fois déçue et rassurée d'observer que James respectait le règlement autant qu'elle.

— Je meurs d'envie de t'embrasser, murmura-t-il en la dévorant du regard.

Leurs émotions étaient si parfaitement en accord qu'elle le sentit presque caresser son visage. Il lui prit la chaîne des mains et l'accrocha délicatement autour de son cou, laissant l'anneau reposer entre ses seins. Il profita de l'occasion pour frôler du bout des doigts la peau douce de sa nuque. Beth ferma les yeux et savoura cette courte seconde de tendresse, puis dissimula le bijou sous son uniforme pour que personne ne puisse le voir.

— Je… je n'arrive toujours pas à croire que tu sois là, chuchota-t-elle, les paupières encore closes.

— Moi non plus. Depuis ton départ, j'ai pensé à toi sans arrêt. Crois-le ou non, je te suis resté fidèle. Oui, j'ai respecté une relation monogame. Voilà, c'est dit. Je n'ai pas à ménager ma fierté. Je pensais te laisser deux ou trois semaines pour réfléchir. Je pensais rentrer de l'hôpital et te surprendre en venant chez toi, te prendre dans mes bras. D'abord, l'agent de sécurité ne me laissait pas entrer dans la résidence. Ensuite, ta sœur refusait de me voir. Après une semaine, elle m'a dit que tu étais partie en déploiement. J'ai passé des mois à chercher une solution. Je t'ai écrit des dizaines d'e-mails sans jamais avoir le courage de les envoyer. Finalement, j'ai appris qu'une livraison était prévue et j'ai sauté sur l'occasion. Résultat, je serai le larbin de mon commandant pendant quelques années.

Elle éclata de rire.

— Oh, non. Tu vas avoir droit aux tâches ingrates, aux discours et aux réunions.

— Pendant trois ans, c'est ça. Tu vois un peu ce que j'ai sacrifié pour toi ?

Beth marqua une pause.

— Je suis désolée. Tu sais que je t'ai entendu dire à Harriet que tu l'aimais…

— Et je t'ai déjà répondu que oui. Je l'aime. Mais ce n'est pas pareil qu'avec toi. Tu sais où elle est, à l'heure qu'il est ? En Irak. Je l'ai suppliée de ne pas y aller, mais quelque chose ne tourne pas rond chez elle. Elle a besoin de se mettre constamment en danger. On a rompu parce que je passais mes journées persuadé que je ne la reverrais plus jamais. J'étais trop jeune, je n'arrivais pas à m'y faire. Et elle non plus. J'aime Harriet autant que j'aime Sadie.

Il marqua une pause avant de continuer.

— Celle que je veux, c'est toi. Je veux savoir si ça nous mènera quelque part, dit-il en s'approchant d'elle avant de reprendre à voix basse. Je veux savoir si ça peut marcher. Tu comprends ?

— Oui, je comprends, murmura-t-elle, puis elle se racla la gorge. Au fait, je n'ai rien vu dans le journal à propos de William.

James baissa les yeux.

— Je n'arrive toujours pas à croire qu'il soit mort, soupira-t-il avant de relever la tête. Sa boîte menaçait de couler, alors il a accepté des investissements étrangers en échange de quelques piratages informatiques pour eux. Quand il a pris conscience de ce qu'on lui demandait, c'était trop tard : soit il infiltrait le système informatique de la CIA, soit il mourait. Malgré ses compétences de hacker, il n'y arrivait pas. Il a donc décidé de s'inviter au mariage et d'infiltrer la CIA à la source. Il croyait vraiment travailler pour le gouvernement russe, mais ils le menaient en bateau. William n'avait aucune immunité politique, ils la lui avaient promise pour obtenir ce qu'ils voulaient. Une triste histoire.

— Et la tentative de kidnapping au *JibJab* ?

— Une mise en scène. Comme les e-mails. William cherchait à installer un climat de panique pour que la sécurité soit renforcée et que les plus importantes figures politiques ne viennent finalement pas : par exemple, le vice-président est trop bien entouré, sa présence aurait compromis tous les plans de Will. Dès que le mariage a été réduit à la famille et aux proches et transféré à la maison, il avait son ticket d'entrée sur un plateau d'argent.

— Si je comprends bien, en disant devant ta mère que Sadie et Simon voulaient s'enfuir, il s'assurait que la cérémonie aurait lieu à la propriété ?

— Il nous a tous manipulés.

Il y eut un silence.

— Je suis désolée que tu aies perdu ton ami. Au moins, tu n'as rien perdu de plus.

Hochant la tête, James tendit la main comme s'il voulait serrer la sienne. Elle tendit la sienne et il caressa doucement son poignet avec son pouce.

— Mon véhicule part dans une heure, je dois aller à l'enregistrement tout de suite, murmura-t-il en glissant une carte dans la poche de la veste de Beth. Pour l'amour du ciel, écris-moi pour que je n'aie pas à venir jusqu'ici la prochaine fois.

— Je te le promets, sourit-elle.

— Et moi, je te promets d'attendre ton retour. Est-ce que tu peux te faire à cette idée ? Oublier tes craintes concernant une relation en déploiement ? Je te jure qu'au moindre de mes faux pas, tu auras le droit de me tirer dessus. Ou de lancer Tammer à ma poursuite. (Il sourit) La deuxième option me fait presque plus peur que la première.

— Tu viens de prouver que tu es assez fou pour tenir cette promesse. Si tu en es capable, alors moi aussi, dit Beth en serrant doucement sa main. Et puis, j'espère que ce sera mon dernier déploiement.

James fronça les sourcils.

— Tu as quelque chose à m'annoncer ?

Elle secoua la tête avec un sourire en coin. Sa candidature à la CIA faisait son bout de chemin dans les strates du service de renseignements, et elle garderait le secret jusqu'à son retour.

— Tu m'accompagnes ? suggéra-t-il.

D'un pas lent, ils se dirigèrent vers la gare routière de la base, sans pouvoir se toucher, et marchèrent au même rythme en silence. Beth se sentait heureuse, le cœur si léger qu'elle avait envie de faire le tour du campement trois fois au pas de course. Était-ce ça, l'amour ? Elle n'avait encore jamais ressenti une telle chose, encore moins partagée avec un homme.

Lorsqu'ils atteignirent l'entrée du hangar, il se retourna.

— Dépêche-toi de rentrer, ma belle. Je t'attendrai.

Beth le retint par le bras.

— J'espère que tu m'accueilleras comme il se doit, lança-t-elle avec un clin d'œil.

— J'y compte bien, rétorqua James.

Balayant les environs du regard, il s'assura que personne ne regardait et la prit dans ses bras pour l'étreinte la plus brève du monde. Mais Beth savoura le contact de son corps sur le sien et se sentit aussitôt brûlante.

Il tourna les talons et s'éloigna, mais après qu'il a fait deux pas, Beth lui lança :

— James ?

Il se retourna.

— Je crois que je t'aime.

Se mordillant la lèvre, elle douta. Était-ce vraiment la chose à dire ? Ne regretterait-il pas de partir, à présent ?

Non, il sourit simplement.

— J'ai gagné. Tammer a parié un *burrito* que tu ne le dirais pas avant de rentrer de mission.

Beth attendit une seconde, mais il ne lui retourna pas sa déclaration. Son sourire s'agrandit.

— Regarde la carte, dit-il en désignant du menton la poche de sa veste.

Puis, il se retourna et disparut parmi la foule qui se pressait dans le hangar.

Beth sortit la carte de sa poche. C'était une carte de visite avec l'emblème de l'appui aérien rapproché. Elle éclata de rire. Derrière, il était noté : « Je t'aime. Et je l'ai dit en premier. »

Épilogue

Elle était rentrée de mission depuis six mois. James s'était presque officiellement installé chez elle et Jubilee. Il voyageait souvent à cause des petits services que lui demandait le commandant. Comme James l'avait prévu, il était à sa botte. Cet après-midi-là, il rentrerait bientôt de l'une de ces « missions ».

Sur le comptoir, elle gardait ouverte l'enveloppe de sa convocation à un dernier entretien pour le poste de déléguée à la protection au sein de la CIA. Aucune mention du directeur Walker, elle espérait donc que leurs petites frictions n'auraient plus d'incidence sur ses ambitions. Le chèque signé à l'ordre de Beth Cojones était encadré et accroché dans la salle de bains.

Elle rentra tôt, prit une douche et se sécha les cheveux. Une touche de maquillage, puis elle enfila un ensemble minuscule de lingerie en dentelles avec porte-jarretelles.

Assise sur le lit, elle prit la chaînette dans sa main et observa longuement l'alliance. Tout doucement, elle enleva le collier, l'ouvrit, retira la bague et l'enfila à son doigt. Elle était pile à sa taille. James avait dû la faire ajuster. Les petits diamants scintillaient à la lumière comme un phare au milieu de l'océan. L'excitation accéléra les battements de son cœur.

Jubilee se leva soudain de sa sieste et Beth suivit le regard de son chien. Elle entendit la porte du garage s'ouvrir et la voiture de James s'arrêter. Gonflant les oreillers, Beth se prépara et s'allongea lascivement sur le lit. Elle laissa une jambe pendre nonchalamment, et une bretelle glisser de son épaule. Ainsi, il comprendrait le message.

Dans l'entrée, elle l'entendit refermer la porte et laisser ses sacs tomber au sol. Quand il apparut sur le seuil, il déboutonnait déjà son uniforme. Il aperçut alors la jeune femme étendue sur les draps.

— Ma belle, dit-il d'une voix rauque. Est-ce que tu es vraiment heureuse de me voir ou…

Il s'interrompit, et hésita une seconde avant de continuer.

— Ou est-ce que tu me prouves à quel point tu as envie de m'épouser ?

Avec un soupir de surprise, Beth se redressa sur le lit.

— Quoi ? Comment tu as deviné ?

Elle baissa les yeux sur sa main, étonnée qu'il l'ait remarqué aussi vite. James vint s'asseoir près d'elle et promena ses doigts le long de sa jambe. Le tissu de son treillis frôlant sa peau nue l'excitait autant que ses caresses.

— En fait, j'ai un secret, lui souffla-t-il à l'oreille, laissant sa main remonter lentement jusqu'à son entrejambe.

Elle eut un frisson et écarta les cuisses, consumée de désir. Tandis qu'il continuait de parler, il caressa son point le plus sensible en de petits cercles réguliers.

— Tu veux savoir ce que c'est ?

Entre deux grognements, elle hocha la tête et souleva les hanches pour plus de contact, plus de rythme.

— Depuis que tu es rentrée de mission, je regarde ton annulaire dès que je te vois.

Ses mots enflammèrent le désir de Beth, son amour pour lui, son besoin de se rapprocher de lui. Elle murmura son prénom juste avant qu'il ne vole à sa bouche un tendre baiser. Peu à peu, la tendresse se fit exigeante, il mordilla ses lèvres, taquina sa langue, et, de sa main libre, retira les bretelles de son soutien-gorge afin de poser ses doigts frais sur sa poitrine. Au fur et à mesure de baisers, de caresses, le corps de Beth se tendit.

Il releva la tête.

— Donc, la question c'est…

Ses doigts entre les cuisses de la jeune femme la caressèrent plus fort et plus vite, si bien qu'elle se tortilla sur le lit quand l'orgasme commença à grandir en elle.

À l'instant où elle atteignait le pic de son extase, il lui demanda enfin :

— Veux-tu m'épouser ?

Découvrez aussi chez Milady Romance :

11 décembre 2015

- **Emmy Curtis**, Alpha Ops, *Fouille au corps*

29 janvier 2016

- **Jill Shalvis**, Lucky Harbor, *Aveuglément*

Ce mois-ci

- **Tere Michaels**, *Nouveau départ*

11 décembre 2015

- **Evangeline Anderson**, *Mission séduction*

... LES RÉSEAUX SOCIAUX

Toute notre actualité en temps réel :
annonces exclusives, dédicaces des auteurs, bons plans...

facebook.com/MiladyRomance

Pour suivre le quotidien de la maison d'édition
et trouver des réponses à vos questions !

twitter.com/MiladyRomance

... LA NEWSLETTER

Pour être averti tous les mois par e-mail de la
sortie de nos romans, rendez-vous sur :

www.bragelonne.fr/abonnements

Achevé d'imprimer en octobre 2015
Par CPI Brodard & Taupin - La Flèche (France)
N° d'impression : 3013132
Dépôt légal : novembre 2015
Imprimé en France
81121599-1